トワイライト

哀しき新生者

TWILIGHT

おもな登場人物

ブリー・タナー	父の暴力に耐えかねて家出をしたが、 16歳になる直前、ライリーに拾われて 吸血鬼に。転生してもうすぐ3カ月
ライリー	新生者たちを束ねているリーダー。 唯一〈あの女〉と話ができる
〈あの女〉	新生者を生み出した赤毛の吸血鬼。 ブリーたちにとっては得体の知れぬ、 ひたすら恐ろしい存在
ディエゴ	新生者のひとり。豊かな黒髪に大きな目。 優しく、音楽が好き
フレッド	新生者のひとり。長身で金髪。 無口だがブリーにはやさしい。謎の能力がある
〈黄眼〉のやつら	ブリーたちのなわばりを奪おうとしている 吸血鬼のグループ。 人間の少女をペットにしているらしい

新聞の見出しが、小型自販機のなかからあたしをにらみつけてきた。

シアトル集中砲火――殺人犠牲者、さらに増加

この新聞を見るのは初めて。きっと補充されたばかりだ。新聞配達の子の姿はもうない。幸運にも、間一髪で命びろいをしたってわけ。

あーあ。ライリーがかんかんになる。ライリーがこの新聞を見るとき、そばにいないようにしよう。引きちぎるなら、ほかのやつの腕にしてほしい。

あたしは三階建てのおんぼろビルの陰に身を潜め、仲間がどうするか決めるのをおとなしく待っていた。だれとも目を合わせないように、すぐ横の壁をひたすら見つめる。一階はずいぶん前に潰《つぶ》れたレコード屋だ。雨風にやられたのか地元の不良にやられたのか、窓

ガラスは抜け落ち、かわりにベニヤ板が打ちつけてある。二、三階はアパート。人間の寝息が聞こえないから、たぶん空き家だ。それもそのはず。吹けば飛ぶような建物だもの。暗くて狭い通りの反対側に並んでいるのも、似たような廃墟だった。

夜間外出のおなじみの光景。

声をあげて注意を引きたくない。だれか早く決めて。のどの渇きがひどすぎて、右に行こうが左に行こうが屋根を乗りこえようが、べつにどうでもいい気がする。タイミング悪くまずい場所にいた、と気づくひまさえもらえない不運な連中をとっとと見つけたい。

がっかりだけど、あたしは今夜、よりによっていちばん使えない吸血鬼コンビと組まされていた。ライリーは人選などおかまいなしで狩りのグループを送りだす。というか、組み合わせに失敗したせいで生還する人数が減ってもたいして気にもならないらしい。今夜のあたしの頭痛の種はケビンと、名前のわからないブロンドの少年。ふたりともラウルとつるんでいる。だから当然、バカってこと。おまけに危険。いまは頭の悪さがもろに出ている。

ふたりは狩りをする方角を決めるどころか、どっちのお気に入りのスーパーヒーローがハンターとして上かというネタでいきなり口喧嘩を始めた。名無しのブロンドはスパイダーマンになったつもりで、テーマソングを口ずさみながらレンガの壁をするするのぼっていく。あたしはたまらずため息をついた。だから狩りはどうするんだってば。

　左のすみでなにかがヒュッと動くのが見えた。ライリーに組まされたメンバーの最後のひとり、ディエゴだ。みんなより先輩だってこと以外、この子のことはよく知らない。うわさではライリーの右腕だとか。だからってほかのアホどもよりましってことにはならないけど。

　ディエゴはあたしを見ていた。ため息を聞きつけたらしい。あたしは目をそらした。

　目立たず騒がず、口にはチャック――それが、ライリーのところで生き残るこつだ。

「スパイダーマンなんてネクラの負け犬だろ」ケビンが上にいるブロンドに怒鳴った。

「本物のスーパーヒーローの狩りを見せてやるぜ」にやっと笑うと、街灯の明かりで歯がギラリと光る。

　ケビンが道のまんなかに飛びだすと同時に、一台の車がこちらに曲がってきて、青白いライトでひび割れた路面を照らしだした。ケビンは両腕をいったんうしろに反らしてから、レスラーよろしくゆっくりもみあわせる。ドライバーは直進してきた。相手が普通の人間のようによけると踏んだらしい。そう、よけるべきなのはケビンのほうだ。

「ハルク、怒る！」ケビンが叫んだ。「ハルク……スマーッシュ！」

　ケビンは前方にジャンプすると、車がブレーキをかけるより早くバンパーをつかみ、頭上に持ちあげてうしろへ放り投げた。路面に逆さまにたたきつけられた車体は鼓膜をつんざく音をあげて潰《つぶ》れ、ガラスが散乱した。車内から女の悲鳴があがる。

「まったく」ディエゴが首を振った。ディエゴはキュートだ。黒く豊かな巻き毛、ぱっちりした大きな目とふくよかな唇。でもそれをいうなら、美しくないやつがいる？　ケビンだって、ほかのラウルの仲間だって、みんな美形だ。「目立つとまずいだろ、ケビン。ライリーのいうとおりに――」

「ライリーのいうとおりに！」ケビンは耳ざわりなソプラノでまねをした。「ビビるなって、ディエゴ。ライリーはここにはいないぞ」

ケビンはひっくり返ったホンダ車を跳びこえ、どういうわけか無傷ですんでいた運転席のウィンドウをたたき割った。ぎざぎざの穴から手を入れ、しぼみかけたエアバッグの奥にいるドライバーにつかみかかる。

あたしは背をむけて息をとめ、血迷わないように必死にこらえた。

飢えを満たすケビンの姿なんて、とても見ていられない。渇きがキツすぎるし、ここで喧嘩もしたくない。ラウルの抹殺リストに名を連ねるのはごめんだ。

ブロンドの少年はちがうらしい。頭上のレンガ壁から離れ、あたしの背後にストンと降りたつ気配がした。少年とケビンがいがみあい、そのあとでなにかを引きちぎる湿り気のある音がして、女の悲鳴がやんだ。きっと女の身体をまっぷたつに裂いたんだろう。考えちゃダメ。でも背後から熱が伝わってきて、血のしたたる音もする。それだけで、息をとめていてものどが激しく焼けつく。

「おれは失礼するよ」ディエゴのつぶやきが聞こえた。

暗いビルの谷間に入っていくディエゴに、あたしもすぐしたがった。早くここを離れないと、血もろくに残っていない死体をラウルの仲間のクズと奪い合うことになる。下手をしたら今日、あたしが生還しないひとりになってしまう。

だけど、のどが火を噴きそう！　あまりに痛くて悲鳴をあげそうになるのを、歯を食いしばってのみこんだ。

ディエゴはゴミだらけの裏路地を駆け抜け、行きどまりに突きあたると壁をよじ登った。あたしもレンガのすきまに指をねじこみ、そのあとを追う。

屋上にたどりつくと、ディエゴは跳躍した。屋根から屋根へ軽やかに飛び移り、入江の光のほうへむかっていく。あたしはぴったりついていった。ありがたいことに、吸血鬼は若いほど肉体が強い。でなきゃ、だれもライリーの家で最初の一週間を乗りきれるはずがない。あたしのほうが転生してすぐだから、その気になればディエゴを追い抜くのはかんたんだ。でも行き先をたしかめておきたかったし、なにより他人に背後へまわられたくなかった。

ディエゴは何キロも突き進み、埠頭近くまでやってきた。小声でなにかぶつぶついっている。

「あのバカども！　ライリーがわけもなく指示を出してるとでも思ってるのか。自己防衛ってやつだろ。そんくらいの基本、少しは覚えとけよ」

「ねえ」あたしは声をかけた。「狩りはするの？　のどがひりついてるんだけど」

ディエゴは大きな工場の屋根のはしっこに着地して振り返った。あたしはとっさに身を守ろうと数メートル飛びのいたけれど、むこうに攻撃してくる気配はなかった。

「するよ。ただ、あのイカれた連中から離れたくてさ」

ディエゴはそういって、人なつこくにっこり笑った。あたしはその顔をぼうぜんと見つめた。

こいつ、ほかのやつらとちがう。なんていうか……おだやか、といってもいい。それにまとも。いまの基準はズレてるけど、もとの世界でいうところのまとも。瞳はあたしより濃い赤だ。聞いていたとおり、転生してしばらくたつらしい。

眼下の通りから、シアトルの殺伐とした地区の夜にふさわしいノイズが聞こえてきた。数台の車、重低音の音楽、不安げに早足で行きすぎるまばらな足音、そしてどこか遠くから、酔ったホームレスの調子っぱずれな歌声。

「きみ、ブリーだよね、新入りの」ディエゴはきいた。

新入りね、なんなんだか。その呼び方は好きになれない。

「そう、ブリーよ。でも、いちばん新しい組じゃない。入ったのは三カ月くらい前かな」

「それにしてはデキるな。転生三カ月でさっきみたいな場面から離れられるやつは少ないよ」ほめているつもりなのか、ディエゴは本気で感心したようにいった。

「ラウル軍団と関わりたくなかっただけ」

ディエゴはうなずいた。

「まったくだ。あいつら、ホントにこまったもんだよ」

おかしい。ディエゴは変わっている。これじゃまるで普通の会話だ。口調には敵意も、疑いもない。いまここであたしを殺すのにどのくらい手間がかかるか……なんて考えているようすもなく、ただあたしと話をしている。

「ライリーのとこに来てどのくらい？」気になってきいてみた。

「いま、十一カ月目だよ」

「へえ！　ラウルより長いんだ」

ディエゴはうんざりした顔で天をあおいでから、毒を含んだツバを吐き捨てた。

「ああ、ライリーがあのクズを連れてきたときのことは覚えてる。あいつが来てから、うちの居心地は悪くなるばっかりだ」

ディエゴにとって自分より若い吸血鬼はみんなクズなのかも、という気がして、あたしは一瞬だまった。まあ、いいけど。他人がどう思うかなんていまはどうでもいい。気にする必要もない。ライリーのいうとおり、あたしは神の化身。強くて速い、別格の存在。ほかの連中なんて関係ない。

そのとき、ディエゴが小さく口笛を吹いた。

「いたぞ。ほらね、必要なのはちょっとの知恵とがまんだ」といって、眼下の通りのむこうを指す。

薄暗い一角になかば隠れ、男が女を罵倒し、ひっぱたいていた。もうひとりの女がそれをだまって見ている。服装からすると女たちは娼婦《しょうふ》で、男はポン引きといったところだ。

これこそ、ライリーのいう〝標的〟だ。ゴミを狙え――帰りを待つ家族や失踪届けを出す者のいない、だれも気にかけないような人間を。

あたしたちもそうして選ばれた。エサも、神の化身も、出どころはおなじゴミためってわけ。

ほかの連中とちがって、あたしはいまでもライリーのいいつけを守っている。ライリーが好きだからじゃない。そんな感情はとっくになくした。指示どおりにするのは、納得がいくと思ったから。シアトルが新しい吸血鬼の一団の猟場になっていることを、おおっぴらにしてどうするの？　なんのプラスがある？

あたしだって、自分がそのひとりになるまで吸血鬼の存在なんか信じていなかった。世間が吸血鬼を信じていないなら、よその吸血鬼はライリーが提唱する上手な狩りをしているってことだ。そこにはきっと理由がある。

それにディエゴのいうとおり、上手な狩りに必要なのはちょっとの知恵とがまんだけ。

もちろん、あたしたちはヘマばかりしているから、ライリーはしょっちゅう新聞を見てはうめき、わめき散らし、モノを壊す――ラウル愛用のテレビゲームとかを。すると今度はラウルがぶちキレて、だれかを八つ裂きにして燃やす。そうなるとライリーがまたカッとなって、ライターとマッチをあらためて根こそぎ没収する。これを数回繰り返したあと、ライリーが社会のゴミみたいなガキを数人、吸血鬼に変えて連れ帰り、欠員を埋める。終わりのないサイクルだ。

ディエゴは鼻から息を吸いこんだ――大きく、深く。そしてあたしの見ている前で体勢をシフトする。腰を落とし、片手で屋根のへりをつかんで。奇妙な人なつこさは消え去り、ディエゴはハンターに姿を変えた。

これならわかる。慣れているから違和感もない。

あたしも脳のスイッチを切った。さあ、狩りの時間だ。眼下にいる人間たちの血の香りを深く吸いこんだ。周辺にはほかにも人間がいるけど、あの三人がいちばん近い。標的はにおいをかぐ前に決めておく必要がある。いったんにおいをかいだら、選んでいる余裕はなくなるから。

ディエゴが屋根からジャンプして姿を消した。かすかな着地音は泣きわめく娼婦《しょうふ》にも、朦朧《もうろう》としている娼婦にも、怒り狂ったポン引きにも届かない。

歯のすきまから低いうなり声がもれた。あたしのだ。そこにある血はあたしのもの。のどを焼く炎が燃えあがり、ほかにはなにも考えられなくなった。

屋根からひらりと身を翻《ひるがえ》して飛びおりると、道の反対側まですばやく移動し、泣き叫ぶブロンド女の真横につけた。すぐうしろにディエゴの気配がする。あたしはディエゴを牽制《けんせい》しつつ、あぜんとしている女の髪をつかんだ。女を引きよせて自分の背中を路地の壁に押しつける。念のために警戒して。

女の皮膚が発散する熱、そのすぐ奥で脈打つ鼓動。あたしの頭からディエゴの存在はすっかり消えた。

女は悲鳴をあげようと口をあけたけれど、声を発する間もなくあたしの歯が気管を砕いた。女の肺のなかで空気と血がゴボゴボと音をたて、抑えようのない低いうめきだけがもれる。

血はあたたかく、甘かった。のどの炎を鎮《しず》め、しつこくうずいていた空腹感を落ち着かせる。あたしは無我夢中で吸いつき、のみこんだ。ディエゴのほうからもおなじ音が聞こえた。獲物は男。もうひとりの女は失神して地面に倒れている。音もなくふたりを始末するなんてなかなかやる。

人間でこまるのは、いつだって渇きを満たすだけの血を貯えていないことだ。女の血はほんの数秒で尽きたように思えた。じれったくて女の身体を揺する。のどはすでにひりひりしてきた。

あたしはからっぽの死体を投げ捨てると、壁にもたれてしゃがんだ。ディエゴをかわして、あの失神してる女を奪って逃げられるかな。

ディエゴもすでに男の血を吸い尽くしていて、こちらを見た。なんだか……かわいそうに、とでもいいたげな目つき。でも、勘ちがいかもしれない。他人に思いやってもらった記憶なんて一度もないし。そんなとき、どんな顔つきをするのかもよく知らない。

「あげるよ」といって、ディエゴは地面にぐったり横たわる女をあごで指した。

「えっ、冗談でしょ？」

「いや、おれはとりあえず大丈夫だから。狩りの時間はまだ残ってるしね」

ワナかもしれない。あたしはディエゴから目を離さずに、女に飛びついて抱きあげた。ディエゴは邪魔しなかった。わずかに背をむけ、真っ暗な空を見あげている。

ディエゴを見すえたまま、女の首にかみついた。さっきの血よりもっと美味《おい》しい。不純物ゼロ。そういえば、あのブロンド女の血にはドラッグ特有の苦い後味があった。いまではすっかり慣れた味だから、気にはならなかったけど。ゴミ狙いのルールにしたがっているると、ほんとうにきれいな血を口にする機会はめったにない。ディエゴもルールを守っているみたいだし、この女の血のにおいもかいだはずなのに……。

なぜ、ゆずってくれたの？

ふたり目がからになると、のどはだいぶおさまった。身体が血で潤っている。これから二、三日は本格的な渇きに襲われずにすみそう。

ディエゴは小さく口笛を吹きながら、まだ待っていた。あたしが死体をドサッと落とすと、こっちを振り返って笑う。

「あの……ありがと」あたしはいった。

ディエゴはうなずいた。

「きみのほうが切実そうだったから。最初はつらいよね、わかるよ」

「だんだん楽になる?」

ディエゴは肩をすくめた。

「少しはね」

あたしたちは一瞬、じっと目を合わせた。

「この三人、海に捨てておこうか」ディエゴがいった。

あたしはかがんで、ブロンドのぐにゃりとした死体を担いだ。ふたり目の女をつかもうとしたところで、すでにポン引きの男を背負っていたディエゴに先を越されてしまった。

「おれが運ぶよ」

あたしはディエゴについて路地の壁をのぼり、高速道路の橋げたを伝って移動していった。眼下を通過する車のライトはここまで届かない。人間ってなんてバカで、鈍感なんだろう。あたしはイチ抜けして正解だった。


闇にまぎれ、人気《ひとけ》のない夜の埠頭《ふとう》にたどりついた。ディエゴは大荷物を担いだまま、ためらうことなくダイブして海中に消える。あたしもするりと海に入った。

ディエゴはサメのように無駄のない俊敏な泳ぎで、黒い海中を深く遠くへ進んでいくと、やがてめあてのものを見つけて急にとまった。海底に巨大な岩が鎮座していた。ぬるぬるしていて、ヒトデやゴミがはりついている。水深は三十メートル以上。人間の目には真っ暗闇に見えるはず。ディエゴはふたつの死体を放すと流れに漂うままにして、岩の下の汚泥に手を差しこんだ。すぐに手をかける場所を見つけ、岩を砂地から引きはがして持ちあげる。その重みでディエゴの身体は黒々とした海底に腰まではまりこんだ。

ディエゴは顔をあげ、うなずいた。

あたしは泳いでおりていき、ディエゴが運んできたふたつの遺体を片手でつかんだ。岩の下にあいた暗い穴へ、まずブロンドを、それからもうひとりの女と男を順に押しやる。そして浮いてこないようそれぞれを軽く蹴りつけ、岩の下から出た。ディエゴが手を離すと、岩はでこぼこした土台になじまずちょっとガタついた。ディエゴはぬかるんだ海底を蹴って抜けだすと泳いで上へまわり、岩のてっぺんを押して下敷きになった遺体を平らにならした。

ディエゴは数メートルさがり、自分の仕事ぶりを眺めている。

カンペキ、とあたしは口を動かした。これでもう、三人の死体は二度と海面にあがらない。ニュースになってライリーの目にとまることもない。

ディエゴはにっこり笑って、手をあげた。

しばらく考えて、ようやく気づいた――ハイタッチをしたがっているんだ。あたしはおそるおそる泳いでいって、ディエゴの手のひらに自分の手を押しつけると、ぱっと遠ざかった。

ディエゴはヘンな顔をして、弾丸のように海面へ浮上していく。

あたしはわけがわからず、あわてて追いかけた。水面に出ると、ディエゴが息を切らして笑っていた。

「どうしたの？」

しばらくして、ディエゴはやっとのことで口をひらいた。

「あんなひどいハイタッチ、初めてだよ」

あたしはカチンときていい返した。

「だって、腕とか引きちぎられたらイヤだもん」

ディエゴがふっと笑う。

「おれはそんなことしないよ」

「みんなはする」

「それはそうだ」ディエゴは楽しげな表情を引っこめてうなずいた。「もうちょっと狩りを続けないか」

「それを待ってたの」

橋のたもとで陸にあがると、ラッキーなことに、古新聞に年季の入った薄汚い寝袋を並べて眠っているふたりのホームレスに出くわした。どちらも、目は覚まさなかった。血はアルコールのせいですっぱかったけど、それでもないよりはまし。このふたりも海底で、べつの岩の下に埋めた。

「おれはこれで二、三週間はもつ」さっきとはまたべつの無人の埠頭にあがると、ディエゴは水滴をポタポタたらしながらいった。

あたしはため息をついた。

「やっぱり、そういうところは楽になるんだ。あたしは二日もてばいいとこ。そしたら、またラウルの仲間と組まされて送りだされる」

「よかったら、つきあおうか。ライリーはだいたいおれの好きにさせてくれるし」

思いがけない申し出をあたしは一瞬、不審に思った。でも、ディエゴはほかの連中とはちがう気がする。そばにいると、いつもとちがう気持ちになる。背後をそれほど警戒しなくてもいい気が。

「それ、いいかも」あたしはうなずいた。なんだかおかしなことを口走ったような、弱みをさらけだしたみたいな感じ。

でもディエゴはあたしに笑いかけ、ひとこと「了解」といった。

「ライリーはどうしてあんたに甘いの？」と質問してみた。どんな関係なんだろう。いっしょにいればいるほど、ライリーと組んでるディエゴが想像できなくなる。ディエゴはとても……とっつきやすい。ライリーとは大ちがいだ。ひょっとして、正反対だから惹《ひ》かれあうのかな。

「ライリーは信用してるんだよ、おれなら後始末をしっかりできるってね。そうだ、それで思い出した。ちょっと用事につきあってくれる？」

ヘンなやつ。なんだかおもしろくなってきた。すごく気になる。彼がなにをするのか、この目で見たい。

「いいよ」

ディエゴは大きく跳躍すると、海岸通りに降りたった。あたしもあとを追っていった。人間が数人いるのがにおいでわかったけれど、この暗さとスピードなら、あたしたちは目にもとまらないだろう。

ふたたび屋根を伝っていく。数回目の着地で、自分とディエゴの残り香に気づいた。さっき通ったルートをもどっている。

やがてケビンともうひとりの少年が車を襲ったあの路地に着いた。

「ひどいな」ディエゴがうなった。

見たところ、ケビンたちは引きあげたばかりらしい。一台目の車の上にさらに二台の車が積まれ、その場にいた人間たちは死体になりはてていた。警察はまだ来ていない。通報する前に全員、殺されたのだ。

「片づけにつきあってくれる?」ディエゴがいった。

「うん」

ふたりで屋根から飛びおりた。ディエゴは車の配置をてきぱきと入れかえた。巨人の赤ん坊が泣きわめいて投げつけたみたいな車の山を、なんとか衝突事故の現場らしく整える。あたしは歩道に打ち捨てられたしなびた死体をふたつ、車体の下に押しこんだ。

「悲惨な事故だね」と声をかけてみた。

ディエゴはにやりと笑った。そしてポケットに入れていたジップロックからライターを取りだし、被害者の服に火をつける。あたしも自分のライターを出して——狩りにあたってライリーから再支給されたやつ。ケビンだってもっていたはずなのに——車の内装に火をつけていく。干からびた死体は、引火性の毒に冒されていることもあってすぐに燃えあがった。

「さがって」注意されてあたしが顔をあげると、ディエゴは最初に襲われた車のガスハッチをあけ、タンクの内蓋をはずしたところだった。あたしは手近な壁に飛びあがり、二階に腰かけて見物を決めこんだ。ディエゴは数歩あとずさり、マッチに火をつけた。狙いはばっちりで、放った火種は小さな穴に吸いこまれていく。同時に、ディエゴはあたしの隣までジャンプしてきた。

一帯に爆発音が轟《とどろ》いた。曲がり角のむこうで、建物の明かりがともり始める。

「大成功だね」

「手伝ってくれてありがとう。ライリーのところにもどる？」

あたしは顔をしかめた。朝までの残り時間を、ライリーの家でだけはすごしたくない。ラウルのバカ面にも、絶え間ないわめき声と喧嘩の騒音にもいいかげんうんざり。だれも近づかない変人フレッドの背後に、歯を食いしばって隠れているのも気が重い。それに本がない。

「時間はまだあるよ」あたしの表情を見て取り、ディエゴがいった。「すぐ帰らなくてもいい」

「なにか読むものがほしいの」

「おれは新しく聴くものがいるんだ」ディエゴは笑った。「買いものに行こう」

あたしたちはすばやく町を横断しながら――また屋根を伝って進み、建物の間隔があくと薄暗い通りを駆け抜け――もっと治安のいい地域に着いた。ほどなく小さなショッピングセンターで大手チェーンの書店を見つけた。屋上のハッチのカギを壊して侵入する。店内にはだれもいない。警報器がついているのは窓と出入り口だけだ。ディエゴは奥のCDコーナーにむかい、あたしは「H」の棚に直行した。ヘイルまでは読み終えたから、その隣の著者の本を十冊ほどごっそり抜きとった。これで二、三日は潰《つぶ》せる。

ディエゴをさがすと、カフェのテーブルで手に入れたCDのジャケットを眺めていた。あたしは一瞬立ちどまり、それからいっしょの席についた。

妙に胸が騒いだのは、似たような場面に覚えがあったから。頭から離れない、イヤな記憶。あたしは前にもこうして、だれかとむきあってテーブルについたことがある。生と死、あるいは渇望や血以外のことを考えながら、気やすくおしゃべりをした。いまとはべつの、おぼろげな人生のなかで。

最後にテーブルでむかいあった相手はライリーだった。いろいろあって、あの夜のことは思い出すのがむずかしい。

「それにしても、あの家できみを見かけたことがないのはどうしてなんだ」ディエゴがとつぜん、質問を投げかけた。「どこに隠れてるの？」

あたしは笑って、同時に顔を歪《ゆが》めた。

「変人フレッドがいるときにはいつも、そのうしろに隠れてる」

ディエゴは鼻にシワを寄せた。

「ホントに？　どうやったらがまんできるわけ？」

「慣れかな。フレッドの手前より、うしろにいるほうがずっと楽なんだ。いまんとこ、あれ以上の隠れ場所はないから。だれもフレッドには寄りつかないもん」

ディエゴはうなずいたけれど、まだ気持ち悪くてしかたないみたい。

「そうだね。たしかに、それは生きる知恵だ」

あたしは肩をすくめた。

「知ってた？　フレッドはライリーのお気に入りなんだ」ディエゴがきいた。

「そうなの？　なんで？」変人フレッドにはだれも耐えられない。がまんしてみようなんて思ったのはあたしだけだし、それもひとえに自分の身を守るためだ。

ディエゴは秘密の話でもするように身を乗りだした。あたしはそんな型破りな態度にも慣れてきて、もうびくついたりしなかった。

「聞いたんだよ、ライリーが電話で〈あの女〉と話すのを」

身体に震えが走った。

「だよな」ディエゴはまた同情をこめていった。もっとも〈あの女〉のことなら、いたわりあいたくなるのも当然だ。「二、三ヵ月前のことだ。ライリーは興奮しまくってフレッドの話をしてた。聞いたところ、吸血鬼のなかには特別なことをできるやつがいるらしい。普通の吸血鬼ができること以外にもね。強みになるとかで――〈あの女〉はそれを求めている。特殊能力を……」

ディエゴは最後の言葉をわざと強調した。ヤバそうだと、あたしにもわかるように。

「特殊能力って、どんな？」

「いろいろあるみたいだよ。読心術とか追跡能力、それに予知能力まで」

「まさか」

「ウソじゃない。たぶん、フレッドは意図的に人を遠ざけることができるんじゃないかな。ただしそれは、あくまで心理的なものだ。フレッドに近づこうって考えただけで、そいつが拒絶反応を起こすようにする」

あたしは顔をしかめた。

「それが強みになるの？」

「おかげでフレッドは死なずにすんでる。きみもだろ？」

あたしはうなずいた。

「そうかも。ライリーはほかの人のこと、なにかいってた？」

なにか変わったことを見たり感じたりしなかったか考えてみたけど、フレッドみたいな人はいない。さっきスーパーヒーローごっこをしていたおバカコンビは、ほかの吸血鬼ができないことをしていたわけじゃないし。

「ラウルのことは話してた」ディエゴは口をへの字にした。

「あいつに能力が？　超がつくほどバカとか？」

ディエゴは鼻で笑った。

「それはテッパンだよな。でもライリーの話だと、ラウルには磁力みたいなものがあるんだ。人を惹《ひ》きつけ、したがわせる能力が」

「アタマに問題ありのやつら限定だけどね」

「うん、ライリーもそういってた。効果は限られていて――」ディエゴはライリーの口調をまねて続けた。「いい子たちには効かない、って」

「いい子たち？」

「おれたちみたいに、少しはものを考える頭のあるやつらだろ」

〝いい子〟という呼び方はしゃくにさわった。ほめ言葉とは思えない。ディエゴの説明のほうが聞こえはいい。

「ライリーにはラウルの統率力を必要とする事情があるらしくてさ。なにかが近づいているんだ、きっと」

ディエゴの言葉を聞いた瞬間、不吉な悪寒《おかん》が背筋を走り、あたしは姿勢を正した。

「なにかって?」

「ライリーが目立つなってうるさくいう理由、考えたことあるか」

あたしは思わず口ごもった。ライリーの右腕らしくない意外な質問だ。ライリーのいいつけに疑問を投げかけているといってもいい。それとも、ライリーの差し金できいているのかな、スパイみたいに。〝ガキども〟がライリーをどう思ってるか調べてるとか。でも、そういう雰囲気でもない。ディエゴの暗赤色の目は裏がないし、信用できそうだ。それに、ライリーがあたしたちにどう思われているかを気にするとも思えない。ほかの連中がディエゴについて話していることは、根も葉もないうわさなのかも。

あたしは正直に答えた。

「うん、じつはいま、それを考えてた」

「世界にはおれたち以外にも吸血鬼がいる」ディエゴは真剣にいった。

「知ってる。ライリーがときどきいうもんね。でも、数は多くないでしょ。たくさんいるなら、世間にバレてるはずじゃない?」

ディエゴはうなずいた。

「おれもそう思う。でも、だとしたら〈あの女〉がおれたちの数をどんどん増やしてるのは、おかしくないかな」

あたしは顔をしかめた。

「そっか。ライリーはあたしたちのこと、好きってわけでもなさそうだしね……」反論されるかと思って一瞬だまったけど、ディエゴはなにもいわなかった。同意するように小さくうなずいて待っているので、あたしは話を続けた。「それどころか、〈あの女〉はちゃんと会って挨拶もしてくれない。たしかにおかしいね。あたし、そんなふうに考えたことなかった。というより、このことについて考えるのがそもそも初めて。でも、だったら、あのふたりはなんのためにあたしたちを集めたの？」

ディエゴは片方の眉をあげた。

「おれの考えを聞きたい？」

あたしはこわごわうなずいたけれど、ここにきて警戒する相手はディエゴではなくなっていた。

「さっきいったけど、なにかが迫ってるんだ。〈あの女〉は守りを必要としていて、ライリーに前線をかためさせてる」

その言葉をかみしめるうちに、また背筋がぞくぞくしてきた。

「ならどうしてなんにも教えてくれないの？　あたしたち、見張りとかしなくていいわけ？」

「そう思うよな」ディエゴもうなずいた。

だまって視線を交わした数秒間がかなり長く感じられた。あたしにはもう話すことはなく、ディエゴもおなじようだった。

あたしはやがて、顔を曇らせて口をひらいた。

「ディエゴのいってること、どうかと思うな。だって納得できないよ。ラウルに飛び抜けたところがあるなんて」

ディエゴはふきだして「それはそうだ」といってから、まだ暗い早朝の空を窓ごしに見た。「時間だ。黒焦げになる前に帰らなきゃ」

「はっくしょん、はっくしょん、みんな灰になっちゃった」立ちあがって本を集めながら、声をひそめてマザーグースの一節を歌った。

ディエゴはくくっと笑った。

帰る前にもう一カ所だけ寄り道をした。隣にあった無人のスーパーで、大型のジップロックとバックパックふたつをもらってきたのだ。あたしは二重にしたジップロックに本を全部入れた。ページが濡れて傷《いた》むとイヤだから。

それから屋根を伝いながら海岸に引き返した。東の空がかすかに灰色をおびてきた。あたしたちは大型のフェリーのそばにぼんやり立っていたふたりの夜間警備員の鼻先で海に滑りこんだ――満腹だったおかげであたしの餌食《えじき》にならずにすんだのだから、運がいい――そしてライリーの家をめざし、暗い海中を突き進んだ。

競争していることには、しばらく気づかなかった。空が明るくなりかけているから急いで泳いでいただけ。ふだんなら、こんなにギリギリになることはない。正直、あたしは吸血鬼としては完全にオタクになっていた。規則を守り、トラブルを起こさず、グループでいちばんの嫌われ者のまわりにいて、いつも門限より早くうちに帰る。

とつぜん、ディエゴが本気を出した。身体みっつほど引き離すと、「あれ？　ついてこられない？」といいたげな笑顔で振り返り、またスピードをあげていく。

その手には乗らない、つもりだった。自分がもともと負けず嫌いだったかどうかはよく覚えていない――昔のことは、いまではるか彼方にあってどうでもよく思える――でも、勝ち気だったのかも。挑戦をすぐに受けて立ってしまったから。泳ぎはディエゴのほうがうまいけど、パワーなら負けない。渇きを満たした直後ならなおさらだ。

追い抜きざまに「お先に」と口だけ動かしたけれど、はたしてディエゴに見えたかどうか。

あたしは暗い水中にディエゴを置きざりにした。時間のロスになるから、どのくらい差をつけたかはたしかめない。ひたすら海中を突っ切って、いまの拠点がある島の岸にたどりついた。ひとつ前は、カスケード山脈に隣接する雪に埋もれたド田舎の大きな山小屋だった。いまの家もおなじように、人里離れていて、大きな地下室があり、所有者が最近死んでいた。

岩場の浅瀬を駆けあがり、砂岩の岸壁に指を突きたてて飛ぶように上をめざす。頭上にそびえるマツの幹をつかんで崖に飛び移る瞬間、ディエゴが海からあがる音がした。

あたしはふわりと陸に降りたち、ふたつのことに気づいた。まず空がかなり明るくなっていること。そして家が消えていること。

あとかたもないわけではなかった。残骸はある。でも、家があったはずの空間はぽっかりあいていた。屋根は黒焦げで、さながら鋭くとがった木のレースのように、玄関があった場所にたれさがっている。

太陽はぐんぐんのぼってきた。黒々したマツの木立は濃い緑をのぞかせつつある。薄闇に樹冠がほの白く輝き始めたら、あたしは死んでしまう。

あるいは、ほんとうに死ぬといったほうがいいのかな。血に飢えたスーパーヒーローとしての第二の人生は猛火にのみこまれてしまう。想像するにあまりある火あぶりの激痛。

家が壊れたことは前にもあった。地下室でしょっちゅう起こる喧嘩とぼや騒ぎのせいで、たいていは数週間しかもたない。でも、いまにも差しこんできそうな朝陽におびえながら破壊の跡に出くわしたのはこれが初めてだ。

ディエゴが隣に降りたったとき、あたしはショックでとまっていた息をごくりとのみこんだ。

「屋根の下に隠れる?」とささやく。「それで大丈夫かな?」

「落ち着いて」返ってきた声はやけに冷静だった。「いい場所があるんだ。おいで」

ディエゴはしなやかな後方宙返りで崖から飛びおりた。

海水が太陽の光をじゅうぶん遮断できるとは思えない。それとも水中にいれば燃えるはずがないとか?　その考えはいくらなんでも甘いような……。

それでもあたしは焼け落ちた家の陰にもぐりこむのはやめにして、ディエゴを追って崖を飛びおりた。なぜかよくわからない。不思議だ。ふだんのあたしなら、いつもやることを選ぶはず――習慣にしたがって、納得のいく行動を取るはずなのに。

あたしは水中でディエゴに追いついた。ディエゴはまたスピードをあげたけれど、今度はお遊びじゃない。太陽との真剣勝負だ。

ディエゴは小さな島の突端をまわりこみ、深く潜り始めた。ディエゴが海底の岩場にぶつからなかったので、あれ？　と思った。やがてただの岩盤だと思っていたところからあたたかい水流が噴きだしていることに気づき、さらに驚いた。

こんな場所を知っているなんて、ディエゴは用意がいい。海底の洞窟で一日じゅうすごすのは楽しいとはいえない――呼吸をとめていると二、三時間で不快感を覚えるから――それでも、燃えあがって灰になるよりはいい。あたしもディエゴみたいによく考えておけばよかった。そう、血以外のことを。予想外の事態にちゃんと備えておくべきだった。

ディエゴは狭い岩の裂け目を奥へ奥へと進んでいった。塗りこめたような真っ暗闇。ここなら安全だ。穴が狭まって泳げなくなると、あたしもディエゴにならってねじくれた洞窟をよじ登った。いまかいまかと待っていたけれど、ディエゴはいっこうにとまらない。いきなり、傾斜がぐんときつくなった。そして、ディエゴが水面に達する音が聞こえた。

ディエゴのあと、一秒と置かずにあたしも水から出た。

小さな穴と呼んだほうがよさそうな洞窟だ。広さはフォルクスワーゲンのビートルくらいだけど、高さはそこまでない。奥にもうひとつ細長い空間があって、そっちから新鮮な空気が入ってくる。石灰石らしき壁の岩肌にディエゴの指の形が連続してついているのが見えた。

「いいところね」あたしはいった。

ディエゴは笑った。

「変人フレッドのうしろよりはいいだろ」

「比べものになんないよ。あの……ありがとね」

「どういたしまして」

暗闇のなかで、あたしたちはたがいをじっと見た。ディエゴの顔はさりげなく、おだやかだ。これがもし、ケビンやクリスティや、ほかのやつだったら――だれであっても、まさに恐怖の時間になっただろう。寄り添うしかない狭い密室でふたりきり。相手の香りにつつみこまれるほど接近している。いつ凄惨《せいさん》な死を迎えることになってもおかしくない状況だ。でも、ディエゴはとても平然としていた。みんなとはちがう。

「きみ、いくつ？」ディエゴがだしぬけにきいた。

「三カ月。さっきいったよね」

「そっちの歳じゃなくて……いくつだった？　って、きけばいいかな」

人間のときのことだ。そう気づいて、あたしは思わず身体を引いた。その話はだれも口にしない。考えようとしない。でも、せっかくの会話を終わらせたくもなかった。だれかと口をきくってだけでも、いつもとちがう新鮮なことだ。気まずそうにためらうあたしを、ディエゴは興味津々《しんしん》で待っていた。

「えっと、十五歳だった、たぶん。十六になる直前。何日だったっけ……誕生日、すぎてたのかな」あたしは思い出そうとした。でも、のまず食わずですごした最後の数週間の記憶はあいまいで、はっきりさせようとしただけで頭に妙な痛みが走る。しかたなく首を振ってあきらめた。「そっちは?」

「十八歳になったばかりだった。あと一歩だったんだ」

「一歩って?」

「抜けだせるはずだった」といって、ディエゴはだまりこんだ。そしてぎこちない沈黙のあと、話題を変えた。

「うちにきてから、きみはホントによくやってるよ」ディエゴの視線があたしの組んだ腕、そして曲げたひざをたどる。「生き残ってる――いらない注目を避け、ケガもなく」

あたしは肩をすくめ、Tシャツの左のそでをまくって肩を出した。腕のつけ根にぎざぎざの細い線がぐるりとついていた。

「一回、引きちぎられたんだ」と告白する。「ジェンに焼かれる前に取り返した。ライリーにくっつけ方を教えてもらって」

ディエゴは苦々しく笑い、指先で右ひざをさわった。濃い色のジーンズの下に傷跡が隠れているのだろう。

「みんな一度は通る道だ」

「痛かったよね」

ディエゴはうなずいた。

「強烈だよ。でも、さっきもいったけど、きみはしっかり者の吸血鬼だな」

「ありがとう、っていえばいい？」

「おれはただ口にしながら考えてるだけ。いろいろ整理したくて」

「いろいろ？」

ディエゴは軽く顔をしかめた。

「ことの真相について。ライリーがどういうつもりなのか。なんだってあそこまで手当たり次第に〈あの女〉のために人集めをするのか。きみみたいな子もケビンみたいな大バカ野郎も、いっしょくたにする。なぜなんだ」

まるで、ディエゴもあたしとおなじくらいライリーのことを知らないように聞こえた。

「あたしみたいって？」

「連れてくるなら、きみみたいな子にすればいいだろ。頭のいい子にさ。ラウルがひっきりなしに引っぱってくる使い捨てみたいな不良じゃなくて。きみはヤクまみれなんかじゃなかっただろ？　人間だったときも」

あたしは最後の言葉を聞いて落ち着かなくなった。でも、返事を待つディエゴの顔を見ると、おかしなことをいったなんてこれっぽっちも思ってなさそうだ。あたしは深く息を吸いこみ、記憶をさかのぼった。

「ギリギリ手前ってとこかな」こちらを見つめて待っていたディエゴに、あたしは答えた。「まだ足を突っこんでなかったけどね。もう何週間かで、きっと……」そこで肩をすくめる。「あんまり覚えてないんだ。でも、ただの空腹よりおそろしいものはこの世にないって思ってたことは覚えてる。いまはのどの渇きのほうがこわいってわかった」

ディエゴは笑った。

「いったな」

「ディエゴは？　あたしたちみたいな、家出した問題児じゃなかったの？」

「いや、おれもすさんでた」ディエゴはだまった。

こっちだって、きかれたくない質問の答えを待つことくらいできるんだから。あたしはディエゴを見つめた。

ディエゴはため息をついた。吐息はいいにおいがする。いい香りなのはみんなおなじだけど、ディエゴの息には独特な芳香がまざっていた。シナモンとかクローブみたいな、スパイスの香り。

「おれはゴミためみたいなまわりの環境に染まってたまるかって、がんばってたんだ。必死に勉強した。ゲットーから抜けだして大学に行くために。いっぱしの男になろうって。でも、ラウルみたいなやつがいてさ。仲間に入らないなら殺すっていうのが、そいつの流儀で。おれはどっちもごめんだったから、連中に近づかないようにしてた。気をつけていた。そうやって生き抜いた」ディエゴは話をやめて目を閉じた。

あたしは食いさがってきいた。

「それで？」

「だけど弟は、注意が足りなくて」

仲間になるか死か——弟がどちらの道をたどったのか質問しかけたもののディエゴの顔を見ればきくまでもなかった。かける言葉が見つからなくて、あたしは顔をそむけた。弟を亡くした喪失感を心から理解することはできない。ディエゴをいまも苦しめている痛みを。あたしは失って悲しいものなんてなにもなかったから。そこが、みんなとディエゴのちがい？　だからみんなが目をそむける過去の記憶に、ディエゴだけはこだわり続けているの？

ライリーがこの話にどう関係してくるのか、あたしにはまださっぱりわからなかった。ライリーと、チーズバーガーと引き替えの激痛。そのあたりを早く聞きたいけれど、こうなると深追いするのは気が引ける。

嬉しいことに、しばらく待つとディエゴはふたたび口をひらいた。

「おれはぶちキレた。友だちの銃を盗んで〝狩り〟に行ったんだ」ディエゴは皮肉っぽく笑った。「あのころはあんまりうまくなかった。弟を殺《や》ったあの男だけは、自分がやられる前にしとめてみせたけどね。おれは残ったやつらに路地へ追いつめられた。そして気づいたら、おれと連中のあいだにライリーが立ってたんだ。こんな色白のやつは見たことがない、と思ったのを覚えてるよ。ライリーは連中に撃たれても、見むきもしなかった。弾丸じゃなく、ハエかなんかみたいに。それで、なんていったと思う？『きみ、新しく生まれ変わりたくないか』だってさ」

「出た！」あたしは笑った。「それならまだいいよ。あたしのときなんて、『きみ、ハンバーガーでも食うか？』だから」

その夜のライリーの姿は記憶にまだ残っている。視力の落ちる人間の目で見たから、全部ぼやけているけれど。ライリーみたいなかっこいい人には生まれてから会ったことがなかった。金髪で背が高くて、どのパーツをとっても完璧《かんぺき》。つけっぱなしのサングラスの奥の瞳も、おなじくらい美しいに決まってると思った。それに、やわらかく優しい声。食事のお返しになにを求められるのか想像はついたけど、こっちも差しだすつもりだった。ライリーの見てくれがよかったからじゃない。それまで二週間、残飯しか食べていなかったから。結局、要求されたのはべつのものだった。

ハンバーガーと聞いて、ディエゴは笑った。

「よっぽど腹ぺこだったんだな」

「死ぬかと思った」

「なにがあったの？」

「アマかったんだよね。車の免許を取る前に逃げだしたせいで、まともな仕事につけなくて。盗みも下手だったし」

「逃げたって、なにから？」

あたしは口ごもった。思い出そうとすると、記憶は少しずつ形になってきた。だけど、あたしはそれを望んでいるの？

「いいだろ、教えてよ」ディエゴがせっついた。「おれだって話したんだ」

「そうね。わかった。あたし、父親から逃げたの。ひどい暴力オヤジで。母さんも、逃げだす前はやられてたんじゃないかな。あたしはそのころ、まだ子どもで――よくわかんなかったんだけど。ひどくなるばっかりで、このままだといつか殺されると思った。家出しても食ってけないぞって、父親にはいわれてたんだ。いうとおりだったよ——あたしの知るかぎり、あいつが正しいことをいったのはそれだけ。いまはほとんど、思い出すこともない」

ディエゴはうなずいた。

「思い出すのが大変なんだろ。記憶は全部、ぼんやり暗くて」

「まるで、泥まみれの目で見てるみたい」

「うまいこというね」とほめると、ディエゴはあたしのことがよく見えないふりをして目をすがめ、ごしごしこすった。

ふたりでまた笑った。不思議な感じだ。

「ライリーと出会ってから、だれかといっしょに笑ったのって初めてだ」あたしの気持ちを代弁してディエゴがいった。「こういうの、いいよな。きみ、いいよ。ほかのやつらとちがう。あそこのだれかと会話してみたことある？」

「ううん、ない」

「それが正解だよ、時間の無駄だから。おれがいいたいのはそこなんだ。まともな吸血鬼でまわりをかためれば、ライリーの暮らしもちょっとはレベルアップすると思わないか。

おれたちに〈あの女〉を守らせるつもりなら、頭のいいやつを見つけるべきだろ？」

「つまり、脳みそはいらないわけね」あたしは結論づけた。「ライリーがほしいのはきっと数なんだよ」

ディエゴは口を引き結び、考えこんだ。

「まるでチェスだな。おれたちはナイトやビショップとしてつくられたんじゃない」

「ただのポーン」あたしも気づいた。

また長いあいだ、視線を交わした。

「そうは思いたくないけどな」ディエゴがいった。

「あたしたち、これからどうする？」思わずふたりを主語にしてしまった。まるで、ディエゴとあたしがチームだと決めつけるようないい方で。

ディエゴは質問を受けて少し考えていた。そのこまったような顔に後悔がわきあがる。でも、ディエゴはそこでまた口をひらいた。

「おれたちとしても、事情がわからないと決まるものも決まんないよ」

チーム扱いするのはかまわなかったんだ！　そうわかって、あたしはいままで感じたことがないくらい嬉しくなった。

「じゃあ、あたしたちはよく観察して、しっかり注意を払って、なにがどうなってるのか考えるしかないね」

ディエゴはうなずいた。

「ああ、ライリーの言動はなにからなにまでじっくり検討しないと」ディエゴは言葉を切ってもの思いに沈んだ。「この件、ライリーとよく話そうとしたこともあったんだ。けど、あいつは取り合ってくれなかった。もっと大事なことに目をむけろって——のどの渇きとか。まあ、たしかにあのころのおれの頭はそればっかりだったしな。狩りに出されたら、心配事なんて吹っ飛んで……」

ライリーのことを考えているディエゴをあたしは観察した。過去をたどりながら、その目はどこか遠くを見ている。あたしにとってディエゴは転生して初めての友だちでも、ディエゴにとってあたしはそうじゃないんだ。

と、いきなり、ディエゴの焦点があたしにもどった。

「おれたちがいまのところ、ライリーから聞かされてる話は？」

あたしは集中して過去三カ月を頭のなかでリプレイした。

「ほとんどなにも、でしょ？　吸血鬼の基礎知識だけで」

「もっと意識して話を聞かなきゃいけないな」

ふたりとも口をつぐみ、それぞれ考えこんだ。あたしは自分の無知さをひしひしと実感していた。ここまでなにも知らないのに、なんで平気でいられたの？　ディエゴと話したことで頭のなかの霧が晴れたみたい。三カ月ぶりに、血とはべつのものが大きな位置を占めていた。

沈黙はしばらく続いた。そのあいだに真っ暗だった通気孔の穴が変化を見せ始めた。いまでは鉛色で、ほんの少しずつ明るくなりつつある。あたしがそこをびくびく見ていることに、ディエゴが気づいた。

「心配ないよ。天気がいいと薄明かりが入るけど、痛くはないから」ディエゴは肩をすくめた。

あたしは海につながる穴へにじり寄った。引き潮で水位はさがってきている。

「ホントだって。ここに昼間いたことがあるんだ。ライリーにも話してある。ほとんどの時間は水没してるって。あのイカれた家からたまに離れるのもいいだろうっていってくれたよ。それにさ、おれの身体にヤケドの痕《あと》がある？」

あたしは返事に詰まった。ディエゴとライリーの関係は、あたしとライリーの関係とはまるでちがうみたい……。ディエゴは眉をあげた。返事をうながすその顔に、あたしはようやく口をひらいた。

「ない。けど……」

「ほら」ディエゴはじれったそうにいうと、細い通気孔にじりじり近づき、肩が隠れるまで腕を差しこんだ。「な、平気だろ？」

　あたしはこくんとうなずいた。

「安心しろって！　どこまで行けるか見せてやろうか？」そういって、ディエゴは頭から穴にもぐりこみ、上にむかって進み始めた。

「ディエゴ、やめて」もう身体は見えない。「ホント、わかったから」

　笑い声が返ってきた。すでに数メートル上にいる。追いすがって足を引きずりおろしたかったけれど、身体が凍りついて動かない。深いつきあいでもない他人を救うために、命を投げだすなんてバカげてる。でも、ディエゴはあたしにとって、やっとできた友だちらしき人。たった一晩しかたっていないのに、話し相手のいない生活にもどるのはもうつらい気がした。

「おれ《ノ》は燃《エストイ》えない《ケマンド》」ディエゴはスペイン語でふざけるようにいった。「ちょっと待てよ……まさか……うわっ！」

「ディエゴ？」

あたしは洞穴へ飛びつき、頭を突っこんだ。ほんの数センチの目の前にディエゴの顔があった。

「ウソだよ！」

　あまりに接近してしまったので、あたしはさっと身を引いた――反射的に、いつものクセで。

「笑える」冷たくいって穴から離れた。ディエゴは滑るようにもどってきた。

「そうピリピリするなって。わかってやってるから大丈夫。間接的なら太陽の光を浴びても痛くないんだ」

「じゃあ、すてきな木陰でひと休みしても平気ってこと？」

　ディエゴは打ちあけようか迷っているみたいに一瞬、沈黙してからそっといった。

「一回、やったことがある」

　あたしはあっけにとられ、ディエゴが笑うのを待った。冗談に決まってる。

　でもいくら待っても笑ってくれない。

「だってライリーが……」あたしの声は尻すぼみに消えた。

「うん、それはおれもわかってる」ディエゴはうなずいた。「ライリーは口でいうほど情報に通じてないのかもな」

「でも、じゃあ、シェリーとスティーヴは？　ダグとアダムは？　明るい赤毛の子は？　みんなどうなったの？　うちに帰るのが遅れたから死んだんだよね。ライリーが遺灰を見たって」

　ディエゴが渋い顔で眉を寄せた。

　あたしは話を続けた。

「みんな知ってるよ、昔ながらの吸血鬼は昼間、棺桶《かんおけ》に入るのが決まり。太陽の光を避けるためにね。常識でしょ」

「そうだね。伝説ではみんな、そういうことになってる」

「あの〝共同棺桶〟まがいの暗室みたいな地下室にあたしたちを一日じゅう閉じこめて、ライリーになんの得があるの？　家はぶち壊されるし、喧嘩もどうにかしなきゃいけないし、騒動続きなのに。ライリーが楽しんでるとはとても思えない」

　あたしの言葉のなにかに意表を突かれたらしい。ディエゴは一瞬、口を大きくあけ、それから閉じた。

「なによ？」

「常識といえばさ……」ディエゴはあたしの言葉を繰り返した。「吸血鬼は棺桶のなかで一日じゅう、なにをしてるわけ」

「えっと、そうだ、寝てるんでしょ？　けど、きっと寝転がったままヒマしてるね。だってあたしたちは眠らな……そっか。そこはまちがってる」

「そうだ。でも伝説では、ただ眠ってるわけじゃない。完全に昏睡《こんすい》してる。目を覚ますことができないんだ。だから人間は近づいていって、杭を突きたてればいい。そこでもうひとつ問題なのは、その杭だよ。きみは自分の身体に木の棒なんかが刺さると思う？」

あたしは肩をすくめた。

「考えたこともない。普通の木じゃまずダメだよね。あるとしたら、先の鋭い木材とか で……うーん。なにか、不思議なパワーがついてるとか？」

「おいおい」ディエゴは鼻を鳴らした。

「だってわかんないよ。人間がとんがったホウキの柄を振りかざして襲いかかってきても、あたしはおとなしく刺されたりしないもん」

ディエゴのげんなりした顔はそれでも変わらなかった。そもそも吸血鬼に魔法で対抗してもしかたない、といいたげな顔をしてひざ立ちになり、頭上の石灰石の壁を引っかき始める。石の破片がばらばら髪にかかっても、ディエゴはかまわず続けた。

「なにしてるの？」

「実験だよ」

ディエゴは両手で掘り進み、立てるようになってもとまらなかった。

「ねえ、貫通したら火だるまだよ。やめなよ」

「そんなつもりない。よし、あったぞ」

ガリッと大きな音が一度、さらにもう一度聞こえたけど、光は入ってこなかった。ディエゴは穴から顔を出した。手にはかたく乾燥した白い木の根。土にまみれた折れ口は、ギザギザにとがっている。ディエゴはそれを放ってよこした。

「刺してみて」

「ふざけないで」あたしは投げ返した。

「本気だよ。こんくらいでケガなんかしないって、きみもわかってるだろ」ディエゴが棒きれをぽんと投げてよこす。あたしは受けとらずにたたき返した。

ディエゴは宙を飛んだ木の根をつかみとり、ぼやいた。

「きみってやつは……迷信深いんだな!」

「だって、自分が吸血鬼だし。迷信深くて正解だっていうこれ以上の証拠がある?」

「わかったよ。自分でやる」

ディエゴは芝居がかった仕草で根っこを握って腕をめいっぱいのばした。まるで自分に剣を突きたてようとするみたいに。

「待ってよ」あたしは不安になった。「こんなのバカげてる」

「それがいいたいんだよ。どうせダメモトだ」

ディエゴは胸の、かつて心臓が脈打っていたあたりに、御影石《みかげいし》も割れんばかりのいきおいで棒きれを突きたてた。あたしが凍りついていると、ディエゴは笑い始めた。

「ブリー、いまどんな顔してるか見せてやりたいよ」

ディエゴは砕けた木くずを払った。ぼろぼろになった根はばらばらと指のすきまから落ちていく。ディエゴはシャツで汚れをぬぐったが、泳ぎと岩掘りで汚れているシャツではたいして意味がない。ふたりとも、今度どこかで着替えを盗ってこないと。

「人間がやれば、ちがうのかもよ」

「人間だったころ、魔法の力があるって信じてたタイプ？」

「知らないってば」あたしはいらいらしていった。「伝説をでっちあげたのはあたしじゃないもん」

ディエゴはいきなりまじめな顔になってうなずいた。

「ホントにそうだったら？　つまりさ、全部つくり話だったら」

あたしはため息をついた。

「だったらどうなの？」

「さあ。でもさ、自分たちがこうなった事情――ライリーが〈あの女〉のもとへおれたちを連れてった理由とか、数を増やし続けてる理由を突きとめるつもりなら、おれたち、最大限の情報をつかんでおかないと」さっきまで笑っていたのがウソのような、むずかしい顔つきだった。

あたしはただ見つめ返した。なんて答えればいいんだろう。

ディエゴの顔がちょっとやわらいだ。

「それにしても、いい感じだな。話してみると、いろいろ見えてくる」

「あたしも同感。なんでいままでこういうこと、考えもしなかったんだろう。こんなにミエなのにね。でも、ふたりだと……なんていうか、脱線しないで考えられる」

「そのとおり」ディエゴはあたしに笑いかけた。「今夜きみとすごせてホントによかった」

「あんまり、なれなれしくしないで」

「あれ？　きみはその気じゃなかったの？　だっておれたち――」ディエゴは目をまるくして一オクターブ高い声でいった。「永遠のオトモダチでしょ？」頭のゆるそうな台詞《せりふ》を吐いて笑う。

自分の台詞とあたしの反応のどっちをおもしろがっているわけ？　あたしはあきれて上をむいた。

「頼むよ、ブリー。永遠の相棒になってくれ。いいだろ？」ふざけた口調だけど、ディエゴの笑顔はとても自然で……期待にあふれている。手が差しだされた。

今度は、ちゃんとハイタッチしようとした。でもディエゴはちがった。予想に反して、あたしの手を取って握りしめる。

三カ月前に転生してからずっと――あたしにとっては全人生もおなじ――あらゆる接触を避けてきて、ここで初めて他人に触れた。ものすごく妙な気分。たとえるなら、火花を散らす送電線の断面に手をあててみたらじつはすごくいい手ざわりだった、という感じ。

あたし、ちゃんと笑顔をつくれているかな。

「わかった、仲間になる」

「やった。ふたりだけの秘密クラブだ」

「すごく厳しい会員制のね」

あたしの手はまだディエゴの手のなかにあった。握手ではないし、手をつないでいるのともちがう。

「会員限定の秘密の握手を考えなきゃ」

「それはまかせる」

「じゃあそんなわけで、極秘親友クラブが正式に発足したことを、ここに宣言します。会員は全員出席。会員限定の握手は後日考案することとして——」ディエゴはいった。「第一の議題はライリーの件。あいつはマジで事情を知らないのか、ウソを教えられているのか、それとも、あいつがウソをついているのか」

ディエゴはあたしの目を見て話した。大きく見ひらかれた目は真剣で、ライリーの名前が出ても揺らぐことはなかった。その瞬間、ディエゴとライリーのあいだにはなにもないと確信した。ディエゴはただ、みんなより少し先輩なだけ。信じていい。

「リストにこれも入れておいて。ほんとうの狙い。たとえば、ライリーの目的はなに?」

「なるほど、そいつは大事だ。なにがなんでも洗いださないと。でもその前に、もうひとつ実験しよう」

「その言葉、なんかイヤな予感……」

「秘密クラブなら信頼第一だろ」

ディエゴは立ちあがって、あけたばかりの天井の穴に入りこみ、また掘り始めた。すぐに足は地面から浮き、片手で身体を支えながら、反対の手で掘り進めていく。

「今度はニンニクを掘りあてるわけね」あたしはディエゴにチクリといってから、海へつながる穴のほうへあとずさった。

「伝説はガセだよ」ディエゴはいった。身体は穴の奥へどんどんもぐりこみ、土が雨のように降ってくる。このままだと、せっかくの隠れ場所が土で埋まってしまう。その前に光にさらされれば、なおのこと隠れ場所の意味はなくなるのに……。

あたしは海側の穴に滑りおりると、へりに指先を引っかけて目から上だけ出した。水位はずいぶんさがり、いまは腰のあたりだ。ほんの一瞬で、足もとの暗闇に身を隠せる。息なんて、一日くらいとめていてもいい。

火は昔から苦手だった。子供時代の失われた記憶に原因があるのか、最近の出来事のせいなのかはわからない。吸血鬼になったときのあの炎の苦しみだけでもうたくさん。

ディエゴは地表まであと少しのはず。あたしは新しいたったひとりの友人を失う恐怖にまた襲われた。

「ディエゴ、お願いだからやめてよ」聞いてもらえるはずもなく、笑い飛ばされるのはわかっていたけど、小声で呼びかけた。

「おれを信じて」

あたしはじっと待った。

「あとちょっと……」つぶやき声が聞こえる。「よし」

あたしは身をかたくした。光か、火花か、爆発か……。でも暗闇に変化はないまま、ディエゴが飛びおりてきた。手にはあたしの身長とおなじくらいの長さの、太くてねじれた木の根があった。だからいったただろ、といいたげな顔つきだ。

「おれだってそこまでムチャじゃないよ」ディエゴはもういっぽうの手で根を指した。

「ほら、ちゃんと用心してる」

そういって、ディエゴはその根を掘り進めた穴に突きあげた。小石と砂が最後の雪崩《なだれ》となって落ちてくる。ディエゴはよけてひざをついた。そこでまばゆい光が――ディエゴの腕くらいの太さの光線が、洞穴の闇を貫いた。天井と床をつなぐ光の柱のなかで塵が舞い、きらめく。逃げる準備万全だったあたしは、岩棚をつかんだまま凍りついていた。

ディエゴは痛みにもがくこともなく、悲鳴もあげなかった。煙のにおいもしない。洞穴のなかは百倍明るくなったのに、ディエゴはなんともないみたい。木陰に出たことがあっていうのはほんとうなのかも。ディエゴは光の柱のそばにひざまずき、身じろぎもせずに見つめている。無事は無事らしいけど、肌にわずかな異変が。なにか動いているような――舞い落ちる塵の反射のせい？　まるで、ディエゴ自身がかすかに発光しているように見える。

ひょっとしたら塵じゃなくて、あれが炎なのかも。痛みはなく、自覚したときにはもう手遅れとか……。

ふたりで微動だにせず、光を見つめるうちに、刻々と時がすぎた。

そのあとに起こったことは、まさしく予想どおりだったようでいて、絶対にあるはずのないことだった気もする。ディエゴが手のひらを上にむけ、光線へ腕をのばしたのだ。頭で考えるより先にあたしは動いていた。つまり、かなりすばやく。過去最高のハイスピードで。

ディエゴの肌が光にあたる一センチ手前で、あたしは体あたりをして砂ぼこりだらけの空間の奥の壁に彼を押しつけた。

と、洞穴じゅうがまばゆい光に満たされた。自分の身体のどこかを日光にさらさずにディエゴを壁に押しつけることはできないと気づいた瞬間、脚にぬくもりを感じた。

「ブリー！」ディエゴが息をのんだ。

あたしは反射的に身をよじると、ディエゴから離れて転がり、壁にはりついた。一秒足らずのそのあいだ、痛みが襲ってくるのを待った。〈あの女〉に出会った夜のように、ただしもっと瞬間的に、炎になめられ、のみこまれるのを。でもまばゆい閃光《せんこう》は弱まり、また光の柱だけになった。

あたしはディエゴの顔を見た。目を大きく見ひらき、あぜんとしている。動きは完全にとめて。なにかまずいことが起きたのはまちがいない。脚の具合が気になるけど、自分の目でたしかめるのがこわかった。ジェンに腕をもがれたときのほうがずっと痛かったといっても、今回はわけがちがう。きっと修復不可能だ。

痛みはまだない。

「見たか？」

あたしはぱっと首を振った。

「どのくらいひどい？」

「ひどいって？」

「あたしの脚」歯を食いしばって答えた。「なにか残ってる？」

「きみの脚は問題ないみたいだよ」

ちらっと下をのぞくと、たしかに足もふくらはぎも、そのままそこにあった。つま先を動かしてみる。大丈夫だ。

「痛みは？」ディエゴがきいた。

あたしは起きあがってひざをついた。

「まだ痛くない」

「なにが起こったか、見た？　あの光を？」

あたしは首を振った。

「じゃあ、見てて」ディエゴは光線の前であらためてひざまずいた。「今度は邪魔するなよ。おれが正しかったって、すでにきみが身をもって証明したんだから」といって手をのばす。いくら自分の脚がなんともなさそうでも、やっぱり直視していられない。

ディエゴの指先が光のなかに入った瞬間、無数のまばゆい虹色の光が飛び散り、洞穴を満たした。真昼のガラス部屋のように、すみずみまで光が行きわたっている。あたしはゾッとして身震いした。太陽の光があたしに降りそそいでいる。

「信じられないよ」ディエゴはささやいた。手首まで光に差しこむとすでに明るかった洞穴がいちだんと明るくなった。手の甲を上にして眺めたあと、また手のひらを上にむける。プリズムが回転しているみたいに、反射光が舞い躍る。

焦げくさくもないし、ディエゴはどう見ても痛がっていない。ディエゴの手に目をこらすと、星の数ほどの極小の鏡が肌に並んでいるように見えた。一枚一枚見わけられないほど小さな鏡が、それぞれ普通の倍の強さで光を放っている。

「おいで。ブリーもやってみなよ」

断る理由は思いつかないし、興味もあった。あたしはディエゴの隣に移動した。だけど、それでも気が進まなかった。

「燃えたりしない？」

「まさか。光はおれたちを燃やすんじゃなくて、おれたちにあたって反射するんだ。まあ、ただの反射じゃすまないけどな」

しかたなく、あたしは人間のようにのろのろと、光に指を差しいれた。そのとたん、あたしの肌は煌々《こうこう》と輝き、洞穴のなかは昼の野外が暗く思えるほど明るくなった。正確にいうと、この光はただの照り返しとはちがう。カーブを描く色づいた光線は、クリスタルにあたった光さながら。手のひらを全部差しこんだら、洞穴はさらにまぶしくなった。

「このこと、ライリーは知ってると思う？」あたしはささやいた。

「どっちともいえないな」

「知ってるなら、どうして教えてくれないのかな。あたしたちが歩くミラーボールだったら、なんだっていうの？」あたしは肩をすくめた。

ディエゴは声をあげて笑った。

「伝説の出どころがわかったよ。人間の目でこれを見たらどう思う？　いきなり火だるまになったように見えないかな」

「そいつがのほほんと構えてなければ、そう見るかもね」

「これはホント、すごいよ」といって、ディエゴは一本の指をあたしの輝く手のひらに置き、手相の線をたどる。

そこでディエゴはすくっと立ちあがり、輝く柱のなかに立った。部屋いっぱいに光が乱舞する。

「おいで、外に出てみよう」ディエゴは腕をのばすと、地上に続く穴にもぐりこんでいった。

そろそろ克服してもいいころだけど、それでもやっぱり気がなかった。臆病者と思われたくなくてすぐあとを追いながらも、トンネルを進むあいだはずっと内心、びくついていた。太陽光を浴びれば焼け死ぬとライリーはしつこいほどいっていた。あたしのなかでは、それは転生の業火《ごうか》のおぞましい記憶と直結している。あの炎の苦しみを思い出すたびに襲ってくる本能的なパニックからは逃れようがない。

ディエゴが穴の外に出た。すぐにあたしも続く。そこは小さな草地だった。一メートルほど先から島一帯を覆う森が始まる。後方二メートルほどに低い断崖があって、そこから海が広がっていた。あたしたちの放つ色とりどりの光で周囲のすべてが輝いている。

「わあ」思わず、小さな声が出た。

ディエゴがにっこり笑いかけてきた。光をまとう美しいその顔を見たとたん、胸の奥のほうがくらりと揺らぎ、あたしは気づいた——ディエゴは永遠のオトモダチなんかじゃない。あたしにとっては。あっというまに、こんなことになるなんて。

ディエゴの満面の笑みが、かすかなほほえみに変わった。あたしに負けないくらい目をまるくしている。驚嘆、そしてあふれる光。ディエゴはあたしの顔に触れた。さっき手のひらをなでたときとおなじ、輝きの謎をさぐるような手つきで。

「きれいだ」ディエゴはあたしのほおに手をあてた。


いったいどのくらいそうして、ガラスのトーチみたいにキラキラ輝きながらのんきに笑顔で立ちつくしていたんだろう。運よく、入江にボートはなかった。人間の曇った目でも、あたしたちを見逃すはずはない。人間があたしたちに手出しできるわけはないけれど、いまはのどが渇いていないし、騒がれてムードを壊されたくなかった。

とうとう、太陽が厚い雲に隠れた。そのとたん、あたしたちはもとどおりの姿になった。かすかに光沢が残っているけれど、吸血鬼並みの視力がなければわからない程度だ。

強烈な光が消えたら頭も落ち着いて、先のことを考える気になってきた。でも、ディエゴが普通に――ギラギラ輝いていない、という意味で――もどっても、あたしの目にこれまでどおり映ることはもうない。胸の奥をくすぐるような感覚はまだそこにあった。この先もずっと、たぶんこのままだ。

「ライリーに話す？　このこと、知らないのかな」あたしはきいた。

ディエゴはため息をついて、手をおろした。

「わからない。みんなを追跡しながら考えよう」

「昼間に尾行するんだから気をつけなきゃ。あたしたち、お日さまの下ではけっこう目立つよ」

ディエゴはにやりと笑った。

「ニンジャになるか」

あたしもうなずいた。

「極秘のニンジャクラブのほうが、永遠のオトモダチよりいい感じ」

「ずっとイケてるな」

ライリーたちが島をあとにした地点を見つけるのはわけもなく、数秒もあればこと足りた。そこは楽勝。問題は上陸地点の特定だった。二手にわかれることも話に出たけれど、賛成ゼロで却下になった。理由はかんたんだ——ひとりがなにか見つけても、相手に伝えようがないから。でも正直なところ、あたしはディエゴと離れたくなかったし、ディエゴもたぶんおなじ気持ちだ。ふたりとも気を許せる相手はなんであれこれが初めてで、大事なひとときをほんの少しだって無駄にしたくなかった。

みんなの行き先の候補はいろいろあった。半島、べつの島、シアトル郊外、そして北にむかってカナダ。いつ家がぶち壊されても、焼け落ちても、ライリーは用意ができていた。次にどこへ行けばいいか、いつだってわかっているらしい。事前に準備しているに決まってるけど、だれかに計画を漏らすことはなかった。

どこにいても不思議はない。

船や人をよけるために浮上と潜行を繰り返したせいで、かなり時間をとられてしまった。空振り続きで一日たったけど、あたしたちは気にもしなかった。いままでで最高に楽しい思いをしてたから。

不思議な日だ。あたしはいまごろ、暗がりでみじめにひざをかかえ、フレッドの陰に隠れてムカツキをのみこみ、いつものバカ騒ぎを無視しようとしているはずだった。それなのに、現実には――新しい親友か、それ以上かもしれない相手と――ニンジャごっこをしている。日陰から日陰へ飛び移り、手裏剣みたいに石ころを投げあってよく笑いながら。

でも、ついに日が沈んだ。そのとたんに心配になる。ライリーがさがしにくる？　あたしたちは焼け死んだと思う？　それとも、焼け死んだりしないと知っているの？

あたしたちはスピードをあげた。ぐんぐんと。近くの島の周囲はすべてまわっていたから、あとは半島に焦点をしぼった。日没から一時間ほどでなじみのあるにおいをとらえ、すぐにルートを突きとめた。臭跡さえ見つかれば、あとは新雪についた象の群れの足跡をたどるようなものだ。

走りながら、これからのことを本格的に話し合った。

「ライリーにはいわないほうがいい。日が沈んでみんなの追跡にかかるまで、あの洞窟にずっと隠れてたってことにするの」話しているうちに警戒心がむくむく膨らんできた。「それにね、洞窟は水没してたから話もできなかったって」

「ライリーのこと、悪いやつだと思ってるんだろ」ディエゴはしばらくしてから静かにそういうと、あたしの手を取った。

「どうかな。でも念のために、そういう前提で動いておきたい」あたしはちょっとためらい、先を続けた。「ディエゴはあいつのこと、悪く思いたくないんだね」

ディエゴはうなずいた。

「ああ。友だちみたいなもんだから。そりゃ、きみとはちがうけどさ」そこであたしの指をきつく握る。「それでも、ほかのやつらよりはずっと親しい。だから考えたくないんだ。まさかあいつが……」言葉が途切れた。

あたしも指を握り返した。

「もしかしたら、すごくいいやつかもよ。だとしても、気をつけるに越したことない。それでライリーがどう変わるわけじゃないし」

「そうだね。わかった。水没した洞窟の線で進めよう。とりあえずはそれで……太陽のことはおれがあとで話してみようかな。どうせなら昼間にするよ。すぐに証拠を見せられるし。それにライリーが真実を知っていて、それでもウソを教えていたまっとうな理由があるとこまるから、やっぱりほかの連中はいないところで話したほうがいい。夜明けにライリーが外出から帰ってきたところを、おれがつかまえて……」

ディエゴの話の主語が〝おれたち〟でなく〝おれ〟になっていて、それが気になった。だけどたしかに、あたしはライリーに情報を渡すのに加わるのは遠慮しておきたい。ディエゴほど、あいつを信用していないから。

「夜明けのニンジャ攻撃！」ディエゴを笑わせたくていってみた。笑ってもらえた。ジョークの応酬がまた始まり、あたしたちは追跡を続けた。とはいえ、表むきはふざけていても、内心ではディエゴもあたしとおなじで、真剣な考えにとらわれているのが伝わってきた。

走れば走るほど不安はつのった。猛スピードで走っていて、ルートをはずれた覚えもないのに、時間だけがすぎていく。すでに海岸線を遠く離れ、山なみを越えて、新しい領域に入ろうとしていた。いつもの移動パターンからズレている。

いままでの拠点はすべて、山中だろうが、島だろうが、大農場にまぎれていようが、いくつか共通点があった。所有者が死んでいること、市街地から遠く離れていること、そしてもうひとつ。どれもシアトル周辺だった。軌道を描く衛星のように、この大都市のまわりに点在していた。シアトルがつねに中心であり、標的だった。

ここにきてその軌道からはずれた。まちがっている気がする。たいしたことないのかもしれないし、今日はたまたま変化の激しい一日なのかも。真実だと思っていたことがことごとく覆され、個人的には大変動はもうたくさんなのに。ライリーはなんで、いつもどおりの場所を選んでくれなかったんだろう。

「こんな遠くまで来るのはおかしいな」ディエゴのつぶやきにも緊張がにじんでいた。

「なんかこわいよ」

ディエゴが手を握ってくれた。

「大丈夫だって。ニンジャクラブは無敵なんだ」

「会員限定の握手、もうできた？」

「もうすぐさ」ディエゴは約束した。

なにかが引っかかる。盲点があるような気がしてしかたなかった。見落としていることがあるのに、それがなんなのかはっきりしない。わかってあたりまえのことが……。

とうとう、いつもの移動圏内から百キロほど西の地点に、拠点の家を見つけた。聞こえてくる騒音がはっきり示している。ズンズン響く重低音、ゲームのサントラ、いがみあい。まちがいなく、うちの連中だ。

つないでいた手をほどくと、ディエゴがこっちを見た。

「だって、ディエゴは知らない相手だから」あたしは冗談まじりにいった。「一日じゅう水に潜ってたから口もきいていない。ニンジャなのか吸血鬼なのかも知らないもんね」

ディエゴは笑顔になった。

「きみこそ、見かけない顔じゃないか」そこで声を低くして早口でいう。「とにかく、昨日と変わらない態度を通すんだよ。明日の夜、いっしょに外出してちょっと偵察してみよう。なにが起こっているのかもっと調べるんだ」

「いい考えだね。みんなには秘密ってことで」

ディエゴは身をかがめて、あたしにキスをした。ほんの軽く触れただけだけど、ちゃんと唇に。全身に電流が走った。

「じゃあ、行くぞ」といいのこし、ディエゴは騒音の発生源めざして一度も振り返らずに山腹を駆けおりていった。もう芝居が始まっている。

一瞬ぼーっとなったけれど、あたしはちゃんと数メートル距離を置いてあとを追った。ふだん、他人とはそれ以上近づかないから。

新しい拠点は松林のなかにある大きなログハウス風の建物だった。周辺数十キロにわたって民家はない。どの窓も暗くて一見空き家のようだけど、地下から響く重低音で全体がぶるぶる震動している。

ディエゴが先に入り、あたしはあとに続いた。ディエゴをケビンやラウルだと思ってじゅうぶんに距離をとり、おずおずと。ディエゴは階段を見つけると、堂々といっきに駆けおりた。

「あれでおれをまいたつもりか、おまえら」ディエゴが声をかける。

「あれ。おいみんな、ディエゴが生きてたぞ」露骨にがっかりした声でケビンがいった。

「残念だったな」ディエゴの声を聞きながら、あたしは暗い地下室に滑りこんだ。照明は無数のテレビ画面だけ。それでも、あたしたちには明るいくらいだ。あたしはフレッドが占領しているソファの裏へ急いだ。びくびくして見えてもおかしくない状況でよかった——隠しようがないもの。こみあげるムカツキをごくりとのみこみ、ソファの裏の定位置でまるくなる。床に座ると、フレッドが発散している反発性のオーラは弱まった気がした。こっちが慣れただけかもしれないけれど。

真夜中だけあって、地下室にいるのはメンバーの半数以下だった。ここにいる連中の目はあたしとおなじ、渇きを満たしたばかりのあざやかな赤だ。

「おまえの悪ふざけの尻ぬぐいに手間取ったんだ」ディエゴはケビンにいった。「夜明け間近になって帰ったら家が消えてた。海中の洞窟で一日じゅう潜伏してたんだぞ」

「文句があるなら、ライリーにチクればいいだろ」

「チビの女も帰ってきたみたいだな」べつの声がして、あたしはビクッとした。ラウルだ。名前を知られていないのはひとまず安心だけど、あいつの目にとまったというだけで虫酸が走る。

「ああ、おれについてきたから」姿は見えないけれど、ディエゴはたぶん肩をすくめているはずだ。

「おまえは命の恩人ってわけか。さすがだな」ラウルが意地悪くいった。

「いきがってアホなまねしたって、なんの足しにもならないからな」

やめてよ、ディエゴ。ラウルを挑発しないで。ライリーが早く帰ってくればいいのに。ラウルを少しでも抑えられるのは、あいつだけだ。

でもライリーはたぶん〈あの女〉のために、社会のゴミを集めにいっている。それともなにかべつの外界での用事をすませに。

「おもしろいことをいってくれるじゃねえか。オレがおまえを殺したとして、ライリーが悲しむとでも思ってるのか。とんだ思いあがりだぜ。どうせ今夜は、おまえはもう死んだと思われてるしな」

　ほかの連中の動く音がした。ラウルを援護する者と、騒ぎから距離をおく者。あたしは迷っていた。ディエゴをひとりで戦わせるつもりはもちろんない。でも喧嘩になる前に出ていったらふたりの関係がバレてしまう。ディエゴがいままで生きのびてきたのは、必殺技かなにかをもってるからだといいな。あたしはあんまり助けになれない。ラウル軍団はいまは三人だけど、あいつに気に入られようと手を貸すやつがほかにもいるだろう。あたしたちが焼き殺される前に、ライリーは帰るだろうか。

　ディエゴの返事は落ち着いていた。

「ガチで勝負もできないのか？　思ったとおりの腰抜けだな」

　ラウルが鼻で笑った。

「ふん、その手に乗るかよ。映画じゃあるまいし。わざわざタイマン勝負するやつがどこにいる。おまえを痛めつけたいわけじゃねえ。息の根をとめたいんだ」

　あたしはいつでも飛びだせるように、腰を落とした。

　ラウルはくどくど話を続けている。自分の声に酔いしれて。

「といっても、全員でかかる必要はないな。このふたりはおまえが生還しちまった証拠を消す。そこのチビ女をな」

あたしは瞬時に凍りついた。早くこわばりを解いて、全力で戦わなくちゃ。抵抗したところで、意味はないだろうけど。

そのときだった。まったく予想していなかった感覚に襲われた――しゃがんでもいられないほどの、怒濤《どとう》のようなムカツキ。あたしは床に転がって恐怖にあえいだ。

あたしだけではなかった。不愉快そうなうめきと嘔吐の音が、地下室のあちこちでしていた。あたしの視界に入る部屋のすみにまで、数人があとずさっていた――それでサイアクの気分から逃れられるとでも思っているのか、壁にはりついて顔をそむけて。少なくともひとりは、ラウルの仲間だ。

ラウルの独特のうなり声が響き、みるみる小さくなった。階段をのぼって逃げたらしい。ラウルだけではなく、ほぼ半数が地下室から退散した。

あたしにその選択肢はなかった。ろくに動くこともできない。そこで気づいた――変人フレッドのすぐそばにいるせいだ。いまの現象を起こした張本人の。強烈な吐き気に襲われながらも、フレッドがあたしを救ってくれたらしいことは理解できた。

なぜ？

不快感はだんだんおさまってきた。なんとか動けるようになると、あたしは真っ先にソファのすみへ這《は》っていき、状況をチェックした。ラウル軍団は全員消えたけど、ディエゴはまだ部屋の反対側のテレビが並んでいる壁ぎわにいる。あとに残った者は少しうろたえながらも、次第に緊張を解いていった。そのほとんどが、フレッドのほうを警戒してちらちら見ている。あたしもフレッドの後頭部をのぞいたけど、ろくに焦点を合わせられずに目をそむけた。フレッドを見ると、また吐き気がこみあげる。

「静かにしろ」

太い低音の声はフレッドのものだった。初めて声を聞いた。注目したとたんにムカツキが再発し、みんなあわてて視線をそらす。

フレッドは平和と静寂を求めただけ、らしい。なんだっていい。あたしはおかげで命びろいしたんだもの。ラウルはきっと、夜明けを待たずに新しい不満の種を見つけ、近くにいるだれかにやつあたりするだろう。夜が終わるころには、かならずライリーが帰ってくる。そしたら、ライリーはディエゴが太陽に焼き殺されることなく洞窟に避難していたことを知り、さすがのラウルもディエゴやあたしにわけもなく手だしはできなくなる。

少なくとも、それがベストな展開だ。それまでに、ディエゴとあたしでラウルを避けるいいアイデアを思いつけるかもしれない。

目の前にある答えを見落としているという感覚が、そこでまた頭をよぎった。よく考えてみようとしたそのとき、思わぬ邪魔が入った。

「悪かったな」

低音の、ほとんど聞き取れないくらいのつぶやきの主はフレッド以外にありえなかった。ほかのみんなの耳には届かなかったらしい。あたしに話しかけているの？

目をむけてみると、今度は異変を感じなかった。むこうは背をむけているから顔は見えない。髪はウェーブのかかった豊かなブロンド。これまで何日も彼の陰に隠れていたのに、初めて気づいた。フレッドが特別だというライリーの話はウソではなかった。ゾッとする能力だけど、まちがいなく特別だ。でもライリーは、フレッドの力がこれほど……強烈だって認識しているのかな。部屋にいる全員をほんの一瞬で打ちのめすことができるくらいだと。

表情が見えなくても、フレッドが返事を待っているのはわかった。

「あやまらないで」あたしは蚊が鳴くような声でいった。「ありがと」

フレッドは肩をすくめた。

それっきり、またフレッドを見ることはできなくなった。

ラウルの帰りを待つ時間は、のろのろと進んでいった。ときどきフレッドに視線をむけ――彼の築きあげた防壁を突破できないか試して――そのたびに撥《は》ねつけられた。無理をすると吐きそうになる。

フレッドのことを考えていれば、ディエゴから意識をそらせた。あたしはディエゴの居場所を気にしないようにした。でも目をむけなくても、その独特な呼吸のリズムを耳にとめ、追っている。ディエゴはむかいの壁ぎわに座り、パソコンでCDを聴いていた。それとも、聴くふりをしている？　湿ったバックパックから取りだした本を読むふりをしている、あたしのように。いつもの速度でページをめくっていても、なにも頭に入ってこない。ラウルがもどってこないか気になる。

運よく、先にライリーが帰ってきた。ラウルとその一派もすぐあとについてきたけれど、やかましさも態度の悪さも、いつもよりましになっていた。フレッドのおかげで周囲への配慮ってものを少しは学んだのかもしれない。

まさか、ね。フレッドはおおかた連中の怒りを買っただけ。彼がうっかりガードをゆるめたりしないよう、あたしは心から願った。

ライリーはディエゴのところへ直行した。あたしは背をむけて視線を本に落としながら、聞き耳をたてた。視界のすみに、ラウルの仲間たちの姿が見えた。フレッドに追いだされる前にやっていたゲームかなにかをさがしてうろついている。そのなかにケビンもいたけれど、彼がさがしているのはただのオモチャではなかった。あたしが座っているあたりに視線を合わせようと数回トライして、そのたびにフレッドのオーラに阻まれている。

しばらくしてあきらめたときには、なんだか具合が悪そうだった。

「無事だったらしいな、ディエゴ」ライリーは心底嬉しそうにいった。「やっぱり、おまえは頼りになる」

「どうってことないさ」ディエゴの声に緊張の影はなかった。「一日じゅう息をとめてるのが、ちょっと面倒だったくらいで」

ライリーは笑った。

「次からはもっと余裕をもって行動しろよ。赤ん坊どもの手本になってもらわないと」

ディエゴもいっしょに笑った。視界のかたすみで、ケビンが肩の力を抜いた。ディエゴに告げ口されないか、そんなに心配だったの？　あたしが思っているより、ライリーはディエゴのいうことを聞くのかも。だからさっき、ラウルはあんなにムキになったのかな……。

ディエゴとライリーがそこまで親しいのは喜んでいいこと？　ライリーはいいやつなのかも。それにふたりがいくら親しくても、あたしとディエゴの絆《きずな》に傷はつかないでしょ？

太陽がのぼったあとも、時の流れは遅々としていた。定員オーバーの地下室は、今日も爆発寸前だ。吸血鬼がのどを痛めることができるなら、がなりすぎてライリーの声帯はとっくにダメになっているだろう。二、三人ほど一時的に手足をもぎとられたけど、火刑はまぬかれた。音楽とゲーム音が争うように鳴り響いている。頭痛にならない身体で助かった。読書しようにも結局、どの本もページをパラパラめくるだけで終わった。文字が目に入ってこない。あたしは終わった本をソファの脇にきっちり積みあげた。いつもこうしてフレッドに本をゆずる。もっとも読んでいるかどうかは神のみぞ知るだ。なにをしているのかたしかめたくても、まともに姿を見られないから。

とにかく、ラウルはこっちに見むきもしなかった。ケビンも、ほかのやつらも。この隠れ場所はあいかわらず鉄壁。ディエゴはちゃんとあたしを無視しているかな。自分が徹底的に無視しているから、確認する方法がない。あたしたちがチームを組んだと勘づいたやつはおそらくいない。ただし、フレッドだけはわからない。さっき、あたしがディエゴに加勢しようと身がまえていたことに気づいた？　だとしても、たぶん気にしすぎる必要はない。フレッドがあたしに敵意をいだいているなら、昨晩あのまま見殺しにだってできた。かんたんにそうできたはずだもの。

太陽が沈みかけたころ、騒音はいちだんとひどくなった。地上階の窓もすべてふさがれているくらいだから、地下から陽が落ちるのは見えない。それでも、長い一日の終わりを毎日待ち続けるうちに、日没を察知する感覚はすっかり研ぎ澄まされていた。みんなそわそわしながら、外出許可を求めてライリーにまとわりついている。

「クリスティ、おまえは昨日出かけたばかりじゃないか」がまんの限界といった調子でライリーはいった。「ヘザー、ジム、ローガン――行ってこい。ウォレンも瞳が黒ずんできたな。行っていいぞ。おいサラ、ぼくに見えてないとでも思ってるのか。もどってこい」

外出が許されなかった連中は部屋のすみでふてくされた。数人はライリーが出かけるのを待って、ルールにかまわず抜けだそうとしている。

「そうだな、フレッドもそろそろだったか」ライリーはこっちを見ずにいった。フレッドがため息をついて立ちあがる。彼が部屋のまんなかを横切ると、みんなの身体に緊張が走った。ただしライリーだけは、身をすくめながらも密かに笑みを浮かべていた。やはり、特殊能力のある吸血鬼を気に入っているわけだ。

フレッドがいなくなったとたん、素っ裸にされたような気がした。これでだれでもあたしを見ることができる。うつむいてぴたりと静止し、あたしは気配を消すことに全神経を集中した。

ラッキーなことに、今夜のライリーは急いでいた。じりじりとドアに近づく連中を脅しつけるどころか、にらみつけるひまさえ惜しいようすで出かけていく。ふだんなら人目を引くなとしつこく説教するのに、それもなし。気もそぞろで落ち着かない――きっと〈あの女〉に会いにいくんだ。そう思うと、夜明けにライリーと例の話をしようという気持ちはまたしぼんでいった。

あたしはクリスティと三人の取り巻きが出発するのを待ち、彼女たちの神経にさわらないように気をつけながら、自分も一員みたいな顔をしてそっとあとに続いた。ラウルのことも、ディエゴのことも見ない。だれの目も引かない、空気のような存在にならなくちゃ。ただの名もない吸血鬼の女に。

おもてに出た瞬間、クリスティから離れて森に飛びこんだ。あたしの香りを追ってくるのはディエゴひとりでありますように。すぐ手前にある山を中腹まで登ったところで、周囲の木から数メートル離れてぽつんと立っているトウヒの巨木を見つけ、てっぺん近くの枝に座って待つことにした。だれが追ってきても、ここならよく見える。

でも、よけいな心配だった。もしかしたら、今日はずっと神経過敏だったのかも。さがしにきたのはディエゴだけだった。遠くにその姿を見つけ、あたしは来た道を引き返して迎えた。

「長い一日だったな」ディエゴはあたしを抱きしめた。「厳しいよ、きみのプランは」

あたしもディエゴを抱きしめ、その心地よさに驚く。

「あたしが心配性なだけかも」

「ラウルのこと、悪かったな。危ないところだった」

あたしはうなずいた。

「フレッドが〝ムカツクやつ〟でいてくれて、助かった」

「あいつの力があそこまで強力だって、ライリーは知ってるのかな」

「知らないいんじゃない？　あたし、いつもそばにいるけど、あんなことするところ見たの初めてだもん」

「まあ、それはそれで変人フレッドの勝手だよな。おれたちはおれたちで、ライリーに話すべき秘密がある」

あたしは震えた。

「話したほうがいいのかな。あたしはまだ自信ない」

「どっちみち、ライリーがどう出るか見てからの話だよ」

「先が読めないのって、イヤなんだよね」

ディエゴは意味深に目をすがめた。

「じゃあ、冒険は？」

「どんな冒険かによる」

「クラブの目的をはたすんだ。最大限の情報を探りだす、だろ？」

「で……？」

「ライリーを尾行しないか？　なにをやってるのか調べるんだ」

あたしは目を見はった。

「そんなことしたら気づかれる。においでバレるよ」

「わかってる。だから、こうするんだ。まず、おれがあいつのにおいを追う。きみは数百メートル離れて、耳を頼りにおれを追う。そしたら、ライリーに気づかれるとしてもおれだけですむ。おれは大事な話があって追ってきたっていうよ。で、例のミラーボール効果のことを打ちあけ、あっちの出方を見る」ディエゴは目をすっと細め、あたしの顔をうかがった。「きみはとりあえず……慎重に動いてくれ。ライリーの態度が問題なさそうだったら知らせるから」

「ライリーが早めに帰ろうとしたら？　夜明け近くに、日光にきらめくところを見せたいんでしょ？」

「うーん……たしかに、そうなると面倒だな。話を進めづらくなるかも。でも、イチかバチかやってみたほうがいい。さっき、あいつはやけに急いでただろ。今夜の用事は一晩がかりなんじゃないか」

「かもね。だけど、〈あの女〉にダッシュで会いにいっただけかもよ。〈あの女〉のそばにいるときにライリーを不意打ちするのはまずいよ」

あたしもディエゴも、ギクリとした。

「それはそうだけど……」ディエゴがむずかしい顔でいった。「なにかが迫ってるって話、もうそこまで来てる気がしないか。真相を解明する時間はあんまり残ってないって」

あたしはしぶしぶうなずいた。

「まあたしかにね」

「だったら賭けてみよう。ライリーはおれを信用してるし、おれのほうも話をしたいちゃんとした理由があるんだ」

この作戦について考えてみた。知りあってまだ一日だけど、これほど用心に用心を重ねるのは、ディエゴの性格に合わない気がする。

「よく練ってある計画だとは思うけど……」

「けど？」

「なんだか単独作戦みたい、クラブの冒険っていうよりも。少なくとも、危険があるところは」

ディエゴは顔をしかめた。痛いところを突いたらしい。

「ライリーに話すのはおれの案だしさ。それにライリーを……」続けづらそうに、ディエゴは口ごもった。「……信頼してるのもおれだろ。その読みがまちがってたときにやつのブラックリストにのるのは、おれだけでいい」

いくら臆病者のあたしでも、それは納得できない。

「クラブってそういうものじゃないでしょ」

ディエゴはあいまいな表情でうなずいた。

「わかったよ、移動しながら考えてみよう」

と口ではいっても、本気で考えるつもりはなさそうだ。

「きみは樹上からおれを追ってくれ。いいね？」

「うん」

ディエゴはすばやくログハウスへ引き返していった。あたしは枝を伝ってディエゴを追った。木々は密集していてほとんど飛び移ることもない。大枝のたわみが風のせいに見えるよう、最小限の動きで進んでいく。今夜はちょうど風がある。夏にしては肌寒い。いまのあたしには、気温なんて関係のないことだけど。

ディエゴはログハウスの外でなんなくライリーの残り香を見つけ、軽やかに追跡を開始した。あたしはその後方数メートル、北におよそ百メートルの、ディエゴの位置を見おろせる山腹を進んだ。木立が深くなると、ディエゴはあたしが見失わないようにときどき幹を揺らしてくれた。

ディエゴは疾走《しっそう》し、あたしはムササビをまねる。でもわずか十五分ほどでディエゴはスピードをゆるめた。ターゲットが近いらしい。あたしは高枝に移動して見晴らしのよさそうな木を探した。まわりより高い一本を見つけてよじ登り、周囲をうかがう。

八百メートルほど先の地点で木立が途切れていた。フットボール場がいくつか入りそうな空き地。そのやや東よりのまんなかには、実物大の〝お菓子の家〟があった。壁は明るいピンクと緑と白に塗りわけられ、目につく場所にはどこもかしこもスイーツ系の装飾がほどこされていて、冗談かと思うほど手がこんでいる。もっと気のおけない状況だったら、大笑いしているところだ。

ライリーの姿は見あたらないけれど、眼下でディエゴの足が完全にとまったということは、ここが追跡の終点のようだ。いまのログハウスが壊れたら、今度はここに引っ越すつもり？　それにしては歴代の家と比べてちんまりしてるし、地下室もなさそう。それにいまの家よりさらにシアトルから離れている。

こっちを見あげたディエゴに、上にのぼってくるよう合図した。ディエゴはうなずき、来た道を少し引き返した。それから、超特大級のジャンプをして――転生したてでパワーのあるあたしでも、あれほど高く飛べるかどうか――いちばん近くにあった木のなかほどの枝につかまった。よっぽど目ざとい追っ手でなければ、ディエゴが寄り道したことには気づかないだろう。それでもディエゴはあたしのいる場所へ直行せずに、梢《こずえ》をあちこち飛びまわって臭跡を散らした。

ディエゴはやっとあたしのところに来ると、真っ先に手を取った。あたしはなにもいわず、例のお菓子の家をあごで指した。ディエゴの片方の口角がぴくりとあがった。

家の東側にむかって、高枝をわたりながらあたしたちは同時に移動を始めた。身を隠すための数本の木をはさんでギリギリまで近づき、座って耳をそばだてる。

ちょうど風が弱まり、物音が聞こえてきた。カチッカチッと、なにかがこすれるような……。なんだろうと思っていたら、隣のディエゴがまた小さく笑い、あたしのほうへ唇を突きだして静かにキスをするまねをした。

吸血鬼のキスは人間のキスとはちがう音がする。みずみずしい肉と肉のやわらかなふれあいではなく、石のような唇のかたい接触だ。あたしも一度だけその音を聞いた――ゆうべ、ディエゴとキスしたときに。でも、昨日の夜と目の前の出来事を結びつけるのは無理がある。予想外もいいところだ。

頭のなかがぐるぐるまわる。

ライリーの行き先は〈あの女〉のところだとは思っていたけど、なにか指示を受けるとか、新しいメンバーを連れていくとか、そういう用事だと思っていた。まさかこんな……密会みたいな場面に出くわすなんて。いったいどうしたら、ライリーは〈あの女〉にキスなんかできるの？　あたしは身震いしてディエゴを見た。ディエゴも少しゾッとした顔で肩をすくめた。

あたしは人間だった最後の夜のことを思い返した。鮮烈な業火《ごうか》の記憶に身体をかたくしながら、ぼやけた記憶をさらに少したどる……最初、ライリーが真っ暗な家の前に車を停めたときには恐怖がひたひた忍びよってきた。明るいハンバーガー屋でのくつろいだ気持ちはあとかたもなく消え去り、ぐずぐず尻ごみしているうちに腕をがっちりつかまれ、人形のように軽々と車から引っぱりだされて……。ライリーが玄関まで十メートルの距離をいっきにジャンプするのを見て目を疑った。でも、ライリーにドアの奥へ、真っ暗な室内へと引きずりこまれ、腕の骨が折れると、驚いている余裕はなくなり、激痛と恐怖で頭がいっぱいになった。そして、声が聞こえて……。

記憶に集中すると、その声が聞こえてきた。そう、歌うような、それでいて不機嫌な少女のような高い声。かんしゃくを起こした子どもみたいな。

その声はたしかこういった。

「なんでこんなのを連れてきたの？　小さすぎる」とかなんとか。言葉はちがうかもしれないけど、そういったようなこと。

ライリーはなだめすかすような声で答えた。期待を裏切るのをおそれて。

「それでも、ひとりはひとりだろ。目くらましには使えるじゃないか」

そのとき、たぶんあたしは泣き始めていた。ライリーはあたしをがくがく揺すったけれど、もう話しかけてはこなかった。人というより、犬のようなあつかいだった。

「今夜は収穫ゼロだったわね」あどけない声の主が文句をつける。「みんな殺しちゃったわ、もうっ！」

そこで車でも突っこんできたみたいに、家が震動した。彼女が腹立ちまぎれになにかを蹴ったのだと、いまならわかる。

「まあいいわ。おチビさんもいないよりまし。これが精いっぱいなんでしょ。飢えはすっかり満たされたし、今度こそ途中でやめられそう」

と、ライリーの硬質な指は遠ざかり、あたしは声の主とふたりきりにされた。おろおろして言葉も出ず、ただ目を閉じた――真っ暗闇でとっくに見えなくなっていたのに。なにかが首に食いこみ、酸に浸した刃で刺されたような焼けつく痛みが走り、そこで初めて悲鳴をあげた。

あたしはビクッとしてその先の展開をあわてて頭から追いだし、目の前で交わされた短い会話に意識を集中した。〈あの女〉は、ライリーのことを恋人どころか友人だとも思っていないみたい。まるでただの雇い人――あまり気に入っていない、近いうちにクビにするかもしれない相手。

それでも、吸血鬼のキスの奇妙な音は続いている。だれかが満ちたりたようなため息をついた。

あたしは眉をしかめてディエゴを見た。こんなやりとりを聞いていても、あんまり得るものはなさそう。あとどのくらいここにいる?

ディエゴはだまって小首をかしげ、耳をそばだてている。

しばらくすると、がまんのかいあって、秘密の逢瀬《おうせ》の物音はぱたりとやんだ。

「人数は?」

離れているせいでくぐもっていても、はっきりと聞き取れた。知っている声だ。わがままな少女のような、かすかに震えるソプラノ。

「二十二」ライリーは誇らしげに答えた。ディエゴとあたしは鋭い視線を交わした。現時点であたしたちは二十二人いる。少なくとも、さっきあの家を出るまではそうだった。話題になっているのは、あたしたちだ。

「太陽のせいでまたふたり消えたかと思ったけどね。ひとりは年長のガキで……いいつけを守るから」ライリーは話を続ける。ディエゴを〝ガキ〟と呼んだその声には親愛の情がにじんでいた。「そいつが地下に隠れ場所をもってて、チビちゃんと隠れてたそうだ」

「まちがいないのね」

長い沈黙が続いた。キスの音もない。離れていても、緊迫感が伝わってきた。

「ないよ。いいやつだし。まちがいない」

また張りつめた沈黙が流れる。あたしには質問の意味がわからなかった。「まちがいないのね」って、なに？　ライリーがディエゴ本人に会ったのではなく、だれかから報告を受けただけだと思ったの？

「二十二人か。なかなかね」考えこむような声がした。緊張は解けたようだ。「みんな成長してる？　もうすぐ一年になる子もいるわね。行動パターンに変化はない？」

「ああ」ライリーはいった。「すべてあなたの指示どおりに進んでる。あいつらは頭を使わない。決まったパターンを繰り返す。のどの渇きで気をそらせるし、操縦できる」

あたしはディエゴにけわしい顔をむけた。ライリーはあたしたちに頭を使わせたくないらしい。どうして？

「よくやったわね」あたしたちの創造者の甘ったるい声がした。そしてまたキスの音。

「二十二人だなんて！」

「そろそろ……？」ライリーが熱っぽくきいた。

「まだよ！　日程は決めてない」女はぴしゃりと切り返した。

「そんな……どうして」

「おまえは知らなくていい。敵が手ごわいってことだけ、肝に銘じておいて。用心するに越したことはないのよ」声はやわらぎ、また甘くなった。「だけど二十二人全員、まだ生きてるのね。あいつらにどんな能力があっても……相手が二十二人じゃ歯がたたないわ」

そして鈴のような笑い声をたてる。

ディエゴとあたしは見つめ合ったまま聞いていた。目を見れば、ディエゴもあたしとおなじ考えなのはわかった。思ったとおり、あたしたちは目的があって生みだされたのだ。そして敵が存在する。というか、あたしたちを生みだした創造者に敵がいる。それとこれはおなじこと？

「決断は……」女がつぶやいた。「まだよ。念のため、あと何人かいてもいいかも」

「数を増やせば、逆にまた減る可能性がある」機嫌をうかがうかのように、ライリーがおずおず指摘した。「新しいのが入ると、いつも荒れるから」

「それもそうね」納得する声が聞こえた。ほっとため息をつくライリーの姿が見える気がした。

ディエゴはとつぜん、あたしから視線をそらして草地のむこうを見すえた。室内では物音はしなかったけど、〈あの女〉が出てきたのかもしれない。ぱっと振り返った瞬間、全身が彫像のようにかたまった。ディエゴがなにを察知したのか、あたしにもわかった。

四つの人影が野原を横切って家に近づいてくる。ここからちょうど反対側の、西の木立からあらわれたらしい。四人とも暗い色の長いマントを羽織りフードを目深にかぶっているから、最初は人間だと思った。変わった連中だけど、どうせ人間だと。だって、おそろいのゴシック系の衣装でキメた吸血鬼なんて見たことがないもの。あんなになめらかで、控えめで……優雅な動きをする吸血鬼も。でも、そんな人間も見たことはない、とあたしはすぐ気づいた。だいたい、あそこまで音をたてずに動ける人間がいるはずない。黒衣の四人組は深い草むらをかすめて音もなく進んでくる。つまり、やつらは吸血鬼か、ほかの超自然的な存在だ。幽霊かも。もし吸血鬼なら、あたしの知らないタイプ。それなら、さっき話に出た〝敵〟である確率が高い。だとしたらヤバい、逃げなきゃ。この場には、ほかの二十人はいないんだから。

立ち去ろうとしたけれど、黒衣の連中に気づかれるのがこわかった。

結局、するすると前進してくるその姿をじっと見ていた。気づいたことがいろいろあった。完璧《かんぺき》なひしがたの隊形は、地面の起伏がどう変わっても一ミリたりとも崩れない。先頭の人影だけずいぶん小柄で、マントの色はひときわ濃い。それになにかの手がかりをたどっているようには見えない。臭跡を追っているわけじゃないんだ。連中は道を知っている。招待されたのだろうか。

四人はまっすぐ家にむかった。玄関に続く階段をしずしずのぼり始めるのを見たところで、とめていた呼吸を再開しても大丈夫そうだと思った。とにかく、あの四人の狙いはディエゴとあたしではない。四人の姿が消えるのを待ち、木立を抜ける風にまぎれて逃げれば、ここにいたことは気づかれずにすむはずだ。

あたしはディエゴを見て、もと来た方角へ軽く首をかしげた。ディエゴは目をすがめ、指を一本立てた。最高、まだここに残るつもりだなんて。あたしはあきれ顔をした。こんな恐怖にさらされても、イヤミな顔ができる自分に驚く。

ふたりそろってまた家のほうを見た。黒衣の連中は衣ずれの音ひとつたてずになかへ入っていた。もっとも、あたしたちが四人組を見つけたときからずっと、〈あの女〉とライリーも沈黙している。なにか聞きつけたか、ほかの方法で危険を察知したにちがいない。

「そう構えないで」澄みきった抑揚《よくよう》のない声がだるそうに命じた。あたしたちを生みだした〈あの女〉より低めだけど、それでもまるで少女のようだ。「わたしたちのことは知ってるわね。だったら、わかるはず――裏をかこうなんて考えるだけ無駄。隠れるのも。抵抗するのも。逃げるのもね」

ライリーのものではない野太い含み笑いが、不吉に空気を震わせる。

「楽にしていいのよ」ふたたび聞こえた単調な声がいう――あのマントの少女だ。独特の声の響きから、吸血鬼だとわかる。幽霊でも、おそろしいバケモノでもない。「滅ぼしにきたわけじゃないから。今日のところは」

沈黙が流れたあと、かすかに動く音がした。だれかが体勢を変えたのだ。

「殺すためじゃないなら……なんなの？」あたしたちを生みだした女の声は緊張していて、耳ざわりなほど甲高い。

「どういう魂胆《こんたん》なのかたしかめにきたの。いちばんききたいのはね、この地域の……ある一族に絡《から》んでいるのかどうか」マントの少女が説明する。「おまえたち、この周辺でずいぶん騒動を起こしているようだけど、彼らと関係があるの？　法を犯してるのよ」

ディエゴとあたしは同時に顔をしかめた。最初から最後までさっぱり理解できなかったけれど、なにより意味不明なのは最後のひとことだった。吸血鬼が法を犯す？　警察や裁判官や刑務所……あたしたちを縛りつけるそんな権力があるとでも？

「そのとおり」あたしたちを生みだした女が吐き捨てた。「標的はあの連中よ、すべてはそのため。だけど、まだ動くわけにはいかない。かんたんにはいかないいんだから！」最後はすねたような口ぶりだった。

「そうね、手がかかるのは百も承知よ。それにしても、どうしてこんなに長く彼らの〝レーダー〟をかわせたのか不思議だわ。いったいどうやってるの？」淡泊な口調に好奇心がにじんだ。「話してごらん」

女はためらったものの、無言の脅しでもあったのか、やがて早口で打ちあけた。「まだなにも決めてないからよ！」あとはぼそぼそ続ける。「……攻撃について。あいつらに関わる決断はひとつもしていない」

「ずさんな作戦だけど、功を奏したわけね」マントの少女がいった。「とはいえ、残念ながらもったいぶるのはもう終わり。決断するのよ、いまここで。私的な部隊を使ってなにをするのか」その言葉にディエゴとあたしは目を見はった。「決めないなら、わたしたちは掟《おきて》にしたがい、おまえを罰する。このわずかな猶予《ゆうよ》だってわずらわしいというものよ。

わたしたちの流儀ではないの。だから約束することね……いますぐに」

「すぐにやります！」あせって口をはさんだライリーをシッとさえぎる声がした。

「できるだけ、すぐにね」女は食ってかかるように訂正した。「やることが山積してる。成功してほしいんでしょ。それには少し時間がいるの。訓練して、指示して、エサをやらないと」

短い間があいた。

「五日あげる。また来るわ。岩陰に身を潜めようが、死にものぐるいで逃げようが無駄よ。次に寄らせてもらったとき、攻撃に移っていなければ火刑に処す」絶対的なその口調は、どんな脅しよりおそろしかった。

「それまでに攻撃をしていたら？」女はうろたえて問いかけた。

「そのときまた考えるわ」マントの少女はいままでより明るく答えた。「お手柄次第ということね。せいぜいがんばって、わたしたちを喜ばせなさい」およそ感情というものがない厳しい声音。最後の命令をきいたとたん、身体の奥にいいようのない寒気を覚えた。

「了解よ」女が無愛想にいった。

「わかりました」ライリーもささやく。

次の瞬間、黒衣の吸血鬼たちはすーっと外に出てきた。その姿が消えて五分たっても、ディエゴとあたしは息ひとつできなかった。室内にいるあたしたちの創造者とライリーも、やはり息をひそめている。完全な静寂はさらに十分続いた。

あたしはディエゴの腕に触れた。逃げるならいまだ。もうライリーはそれほどこわくない。それより、あの黒衣の連中からできるだけ遠くへ離れたかった。ログハウスに帰れば、人数が多いぶん安心できる。〈あの女〉の気持ちがわかった気がした。そもそも、なぜあたしたちをたくさん生みだしたのか。外の世界には、想像していたよりこわいものが住んでいるらしい。

ディエゴは出発をしぶり、まだ耳をそばだてている。その粘りはすぐに報われた。

「これで」家のなかで女がささやく。「バレたわね」

黒衣の連中に？　それとも、謎の一族に？　さっきの緊迫の場面の前、彼女が話していた〝敵〟はどっちなんだろう。

「問題ないよ。こっちは人数で勝って……」

「警告されただけで大問題なのよ！」ライリーをさえぎり、女が怒鳴った。「やることがいっぱいだわ。たったの五日だなんて！」そこでうめき声をあげる。「お遊びはおしまいよ。今夜から取りかかって」

「期待にこたえてみせる！」ライリーはいきおいこんでいった。

まずい。ディエゴとあたしはそろって隣の木に飛び移り、来た道を大急ぎで引き返した。ライリーも急いでいるはず。黒衣の連中とのいまの対面のあとでライリーがディエゴの痕跡《こんせき》に気づいたら……。そしてその先にディエゴの姿がなかったら……。

「おれはとりあえずもどってライリーを待つ」ディエゴは疾走《しっそう》しながらあたしにささやいた。「あの家から見えない場所にいてよかった！　話を聞いたこと、知られるとまずい」

「あたしもいっしょに話す」

「いまさら無理だ。おれの移動ルートにきみのにおいは残ってない。いっしょにいると疑われる」

「ディエゴ……」あたしはうまいこと作戦からはずされたのだ。

さっき合流した地点に着いた。ディエゴは早口でささやいた。

「計画どおりに進めるんだ。おれはライリーに最初から話すつもりだったことを話す。夜明けまでまだ時間はあるけど、こうなったらしかたない。信じてもらえなくても……」ディエゴは肩をすくめた。「ライリーはもっと大きな問題をかかえてるし、おれの妄想が激しすぎるくらいで腹をたててるひまはないだろう。むしろ、いまのほうがまともに聞いてもらえるかもしれない——プラスになることならなんでも歓迎するだろうし、昼間に動けるとなれば心強いはずだ」

「ディエゴ……」どういえばいいのかわからず、あたしはただ繰り返した。

ディエゴはあたしの目をのぞきこんだ。あたしは彼の唇にいつもの気楽な笑みが浮かぶのを待った。ニンジャでも永遠のオトモダチでも、どんなネタでもいいから、冗談をいってくれるのを。

でも、期待ははずれた。かわりにディエゴは視線を合わせたままゆっくり身をかがめ、あたしにキスをした。なめらかな唇があたしの唇に触れる。見つめあったまま、たっぷり一秒。

それからディエゴは背筋をのばし、ため息をついた。

「さあ、帰って。フレッドのうしろに隠れて、なにも知らないふりをするんだ。おれもすぐ帰る」

「気をつけてね」

あたしはディエゴの手を握りしめ、離した。ライリーはディエゴについて親しみをこめて〈あの女〉に話していた。その好意が本物であることを祈ろう。祈るしかない。

ディエゴはそよ風のように、ひそやかに木立へ消えた。ゆっくり見送っているひまはない。あたしは家にむかって一直線に樹上を駆け抜けた。ゆうべの〝食事〟の影響がまだ残っていますように。瞳の色が明るければ、地下室を離れていた口実になる。ちょっと狩りに出て、運よくひとりでいたハイカーを見つけたと。よくあることだ。

家に近づくと、まず地響きのような音楽が聞こえ、続いて吸血鬼を燃やす甘い煙のにおいがしてきた。パニックは限界に達する。この家のなかでも死と隣り合わせなのは外とおなじだ。でも、しかたない。あたしはスピードを落とすことなく階段を駆けおり、立っている変人フレッドの姿をなんとか見わけ、一目散に部屋のすみにむかった。フレッドはひま潰《つぶ》しでも探してるのかな。座ってるのに飽きたとか。どういうつもりだろう。でもそんなことは問題じゃない。ライリーとディエゴが帰るまで彼にはりついていなければ。

部屋のまんなかでは、一本の脚や腕ではすまなそうな灰の山がくすぶっていた。これで、もう二十二人ではなくなった。

煙をあげる残骸に目をとめる者はいない。ここではいつものことだから。

今回は、フレッドに駆けよってもムカツキはひどくならなかった。逆にどんどん薄れていく。フレッドはあたしに気づいたそぶりもなく、本を読んでいた。あたしが数日前にゆずったうちの一冊だ。彼はソファの背もたれに寄りかかっている。そばまで来てみて、相手がなにをしているのか見えることにとまどった。まともに見ても平気なのはなぜ？　フレッドは吐き気をもよおさせる例の力を自在に消すこともできるの？　ということは、いまはふたりとも無防備ってこと？　さいわいラウルはまだ帰っていないけれど、ケビンは部屋にいる。

　フレッドの姿をじっくり見たのは、これが正真正銘初めてだった。百九十センチ近い長身、豊かなブロンドのウェーブヘアは前に見たとおりだ。肩幅の広い、筋骨たくましい体格。まわりのみんなより年上に見える——高校生じゃなくて大学生くらい。でもなによりびっくりしたのは、ハンサムだってこと。ほかのみんなに負けないくらい、ううん、そのなかでも群を抜いてかっこいい。それがどうして、こんなに不思議なんだろう。たぶん、ずっと「フレッド」と「ムカツキ」をセットで考えていたからだ。

　じろじろ見ているのも悪い気がして、あたしは室内をすばやくチェックした。フレッドがいまは普通——おまけに美形——だって、だれか気づいている？　こっちを見ているやつはいない。気づかれたらすぐ目をそらすつもりで、ケビンをちら見したけれど、ケビンはあたしたちの左側をねめつけている。その顔がわずかに歪《ゆが》んだ。あわてて目をそらそうとした瞬間、ケビンの視線があたしを素どおりして右へ移動した。ますます顔をしかめて。まるで……あたしを見ようとして、うまくいかなかったみたい。

　自分の口角がわずかにあがるのがわかった。笑顔まではいかない。ケビンを襲った視覚トラブルを本気でおもしろがるには心配事が多すぎる。そろそろ吐き気が再開するかと思ってフレッドに視線をもどすと、そこにはほほえんでいる彼がいた。笑顔のフレッドは目を奪われるほどかっこよかった。

でもそれは一瞬で、すぐにフレッドは読書を再開した。しばらく、あたしは次の展開をじっと待った。ディエゴがドアから入ってくるのを。ライリーがいっしょかもしれないし、ラウルが先に帰ってくるかも。あるいは吐き気がこみあげるか、ケビンがあたしを見つけてにらみつけるか、また喧嘩が始まるか。とにかく、なにかが起こるのを。

でも、いつまでたってもなにも起こらない。あたしは気持ちを落ち着け、やるべきことに集中した。つまり、なにごともないふりを。フレッドの足もとに積んであった本を一冊取ってそこに座り、読むふりをする。昨日もおなじ本をパラパラしたかもしれないけど、覚えがない。今日も文字は追わず、ただページをめくった。

あたしの心はくるくると小さな渦を描いていた。ディエゴはどこ？　ディエゴの話にライリーはどんな反応を？　黒衣の連中がやってくる前のライリーと〈あの女〉の会話にはどんな意味が？　そしてそのあとの会話は……。

あたしはじっくり考えた。記憶をさかのぼり、ばらばらのピースを一枚の絵にまとめよう。まず、吸血鬼の世界にも警察みたいな存在がいて、そいつらはメチャクチャこわい。

そしてあたしたち、やんちゃなゼロ歳児の吸血鬼集団は部隊としてつくられた。でも、その部隊は非合法だ。あたしたちを生みだした〈あの女〉には敵がいる。それどころか、ふたつの敵がいる。あたしたちはあと五日で、そのひとつを攻撃する。さもないともういっぽうの、あのおそろしい黒衣の連中が、〈あの女〉かあたしたちか——さもなきゃ、どっちもひっくるめて——襲いにくる。敵への攻撃に備えて、あたしたちは訓練を受ける……ライリーが帰ってきたらすぐに。あたしはドアを盗み見て、目の前のページに視線を引っぱりもどした。あとは、黒衣の訪問者が来る前のふたりの会話だ。ある決断をくだすことで、〈あの女〉は迷っていた。それに配下の吸血鬼——兵士の多さに満足していた。ライリーは、ディエゴとあたしが生還したことを喜んだ。太陽のせいでまたふたり消えたかと思ったと。つまり、吸血鬼がほんとうは日光にどう反応するのか、ライリーは知らないんだ。だけど、女の返事は妙だった——まちがいないのね。なにをたしかめようとしていたの。ディエゴがほんとうに生きているか？　それとも、ディエゴの話にウソがないか？

そう考えて、あたしはこわくなった。吸血鬼が太陽では死なないことを〈あの女〉は知っているのだろうか。それならなぜライリーに、そしてライリーを通してあたしたちに、ウソをついているの？

そもそも、〈あの女〉はなぜ、文字どおりの闇のなかにあたしたちを閉じこめているんだろう。あたしたちが無知なままでいることがカギってこと？　まさか、真実を知ったディエゴが邪魔になるくらい？　あたしはすくみあがって凍りついた。まだ汗をかける身体なら、冷や汗が噴きだしているところだ。あたしは気を入れなおし、うつむいたまま本のページをめくった。

ライリーはだまされているの？　それとも、あいつもグル？　太陽のせいで、というのは額面どおりの意味なのか……それとも、太陽にまつわるウソをめぐって、ということ？　二番目だとすると、真実を知った者は〝消される〟ってことだ。動揺のあまり頭のなかがぐちゃぐちゃになった。

けんめいに頭を働かせ、筋道立てて考えようとするけれど、ディエゴがいないとそうもいかない。だれかと話をして情報交換することが、集中力を高めてくれる。それができないと、考えるそばから恐怖に吸いこまれ、消えることのない渇きに絡《から》めとられてしまう。血の誘惑はいつもすぐそこにあった。満たされているはずのいまですら、のどのひりつきを、ものたりなさを感じる。

考えるのよ、と自分にいいきかせた。〈あの女〉のこと、ライリーのことを。ふたりがウソをついているなら、その理由を解明しないと。そしてディエゴが秘密を知ったことが、あのふたりにどんな意味をもつのかを突きとめなくちゃ。

もし、ウソをつかれていなかったら？　昼間も夜とおなじで安全だと、ちゃんと教えてもらっていたらどうなっていた？　真っ暗な地下室に一日じゅう押しこめられることなく——いま狩りに出ている連中が数を減らしてないとして——総勢二十一人のメンバーが、いつでも好きに動くことができたら。

狩りをしていたにちがいない。決まりきっている。

わざわざ隠れることも、帰る必要もないなら……大半は家に寄りつかないだろう。渇きに憑《つ》かれていると、家へもどることは忘れがちになる。それでもみんなが帰ってくるのは、業火《ごうか》の恐怖をライリーにみっちりたたきこまれているからだ。一度経験したおそろしい激痛をまた味わうのを避けるためなら、自分にストップをかけられる。渇望を超えるのは、生存本能だけ。

ようするに、あたしたちは恐怖でつながっていたわけだ。ディエゴの洞窟みたいに、隠れる場所はほかにいくらでもある。でも、そんなことを思いつくやつがほかにいる？　行くあてがあれば——拠点があれば、そこに帰るだけだ。冷静な判断力は吸血鬼の特徴にはない。少なくとも若い吸血鬼の場合は。ライリーは冷静だ。ディエゴもあたしより落ち着いている。黒衣の連中はこわいくらい冴えていた。思い出すと戦慄《せんりつ》が走る。でも、それなら、いまの行動パターンが永遠に続くはずはない。あたしたちが成長してもっと頭を使うようになったら、そのときはどうなる？　そこでライリーより年長者がいないことにはたと気づいた。ここの連中はみんな転生したばかり。謎の敵に対抗するために、〈あの女〉はいま、あたしたちの数を頼みにしている。でも、そのあとはどうするつもり？

あたしはその場にいたくない。そう強く思うのと同時に、あることに気づいた。当然すぎるといえば当然すぎる。ディエゴとこの新しい拠点を探してみんなを追跡していたとき、胸に引っかかっていた見えそうで見えない答え……。

なにも〝そのあと〟までいなくたっていい。あと一晩だって、ここにいる必要はない。

あたしはまた彫像のようにかたまり、この衝撃的な思いつきをじっくり検討してみた。

あのとき、連中が移動する方角にまったくあてがなかったら、ディエゴとあたしは新しい拠点を見つけられただろうか。たぶん無理だ。広い範囲に手がかりを残す大集団でもそうなんだもの。単独行動なら？　海岸線に痕跡《こんせき》を残さず、海からひとっ飛びで地上や樹上に移って……ひとり、またはふたりではるか遠くまで泳いでいけるとしたら？　どこでも好きな場所で陸にあがればいい。カナダ、カリフォルニア、チリ、中国……。

そんなふたりを見つけることは不可能だ。消息を絶てる。ぱっと煙のように消えて。

あの夜、帰ってこなくてもよかったのに！　帰ってこなければよかったんだ！　どうしてあの時点で、思いつかなかったの？

だけど……ディエゴはオーケーしてくれた？　急に自信がなくなった。ディエゴが忠誠を誓う相手はやっぱりライリーなのかな。自分こそがライリーを支えなければと思っているとか。ディエゴとライリーのつきあいは、昨日知りあったばかりのあたしよりずっと長い。ディエゴにとって、あたしよりライリーのほうが近い存在なの？

考えているうちに顔が曇った。

とにかく、ふたりになるチャンスがあったら、すぐたしかめよう。そこで極秘クラブの絆《きずな》が本物だとわかれば、〈あの女〉がどんな計画だろうが関係なくなる。ディエゴと逃げるんだ。ライリーは持ち駒の十九人でなんとかするか、急いで新人を追加するかだ。どっちだって知ったことじゃない。

この計画を早くディエゴに伝えたい。彼もきっとおなじ気持ちでいてくれる。そんな気がする。そうであってほしい。

シェリーやスティーヴやほかの子たちが消えたのもこういう事情だったのだろうか。だって太陽に焼かれて死んだはずはないもの。彼らの遺灰を見たというライリーの話は、あたしたちの恐怖と依存心をあおる作戦のひとつだったの？　夜明け前に家へ帰らせるために？　シェリーとスティーヴは自分たちの道を選んだのかもしれない。ラウルと縁を切って、敵だの部隊だの……なにかと物騒な未来から逃れて。

もしかして、「太陽のせいで消えた」というライリーの言葉はそういう意味？　つまり、外界へ逃げられたと。それなら、ディエゴの帰還を喜んだのも当然だ。

やっぱり、逃げておくんだった！　あたしたちも、シェリーやスティーヴみたいに自由になれた。ルールにも、朝陽の恐怖にも縛られずにすんだのに。

ここの一団が門限なしで解放されたらどうなる？　また想像してみた。ディエゴとあたしはきっと日陰をたどってニンジャのように移動する。でもラウルやケビンたちも、ミラーボールの怪物となってにぎやかなダウンタウンを襲撃するだろう。死体の山、悲鳴、うなりをあげるヘリコプター、そしてなすすべもないヤワな警官たち。彼らのちっぽけな弾丸はかすり傷ひとつ負わせることはできない。カメラがまわり、映像はあっというまに世界を駆けめぐり、またたくまにパニックが広がる。

吸血鬼はもう、秘密の存在ではなくなる。さすがのラウルでも、ニュースの拡散を超えるスピードで殺しを続けるのは無理だ。

論理的に考えるとこういうことだ。また気を散らされないうちに、しっかり押さえておかなければ。

第一に、人間は吸血鬼のことを知らない。第二に、ライリーは人間に気づかれてあれこれバレないように、目立たずに行動しろと求めていた。第三に、ディエゴとあたしが出した結論では、外界の吸血鬼もみんなそのルールにしたがっている。でないと、吸血鬼の存在は世間にバレているはず。第四に、みんながルールにしたがうのにはかならずそれなりの理由がある。人間の警察のチンケな豆鉄砲に意味はない。朝から晩まで吸血鬼全員をきゅうくつな地下室に閉じこめておけるほど、重要な理由。太陽の光を浴びると焼け死ぬと、ライリーと〈あの女〉がウソをついて脅した目的もそこにあるのかも。ライリーはディエゴに事情を説明するかもしれない。そんな大事な話を聞かされたら、責任感の強いディエゴのことだもの、秘密を守る約束をして、それで一件落着になる。きっとそう。でも輝く肌の秘密を知ったシェリーとスティーヴが〝逃げた〟のではなかったら？　ライリーに報告にいったのだとしたら……。

いけない、次に進もうとしたところで、論理のつながりが切れてしまった。またディエゴが心配で心配でたまらなくなる。

おろおろするいっぽうで、しばらく考えごとに没頭できていたことに気づいた。夜明けが迫っている。あと一時間もない。ディエゴはどこ？　ライリーは？

そう思った瞬間にドアがあき、ラウルが仲間とバカ笑いしながら階段を飛びおりてきた。あたしは背中をまるめ、フレッドに身を寄せた。ラウルはこちらには目もくれず、部屋のまんなかで黒焦げになった吸血鬼を見てさらに爆笑した。瞳はあざやかな赤だ。

ラウルはいったん狩りに出たらギリギリまで帰らない。タイムアップ寸前までエサをあさる。夜明けは思ったより近いらしい。

ディエゴはきっと、ライリーに証拠を見せろといわれたんだ。そうとしか考えられない。だから日の出を待っている。ということは……ライリーは真相を知らなかったわけだ。〈あの女〉がライリーにもウソをついていたことになる。ちがうの？　また頭がこんがらがってきた。

少ししてから、クリスティは三人の取り巻きを率いて帰ってきた。灰の山など気にもとめていない。さらにふたりが帰還したところで、あたしはざっと人数を数えてみた。二十人。あとはディエゴとライリーだけ。太陽はいつ顔を出してもおかしくない。

と、地下室の階段の上にあるドアが音をたててあいた。あたしは跳ねるように立ちあがった。

ライリーが入ってきた。背後でドアを閉め、階段をおりてくる。

あとをついてくる者はいない。

その先の考えがまとまらないうちに、ライリーが野獣のような怒りの叫びをあげた。床に放置された燃えかすを見つめる目は、怒りのあまり飛びだしそうだ。みんな、身じろぎもせず静まり返った。ライリーが腹を立てるのはいつものことだけど、今日の彼はなにかがちがう。

ライリーはくるりと背をむけた。がなりたてるスピーカーに爪を突きたてて壁から引きはがし、力まかせに投げつける。スピーカーは身をかわしたジェンとクリスティのむこうの壁に激突し、壁が砕けてほこりがもくもくとあがった。ライリーが音響システムを踏み潰《つぶ》すと、轟《とどろ》く重低音はやんだ。ライリーは突っ立っていたラウルに飛びかかり、のどを引っつかんだ。

「オレがやったんじゃない！」ラウルは叫んだ。おびえた顔を初めて見た。

ライリーはすさまじいうなり声をあげ、スピーカーとおなじようにラウルを思い切り放り投げた。ジェンとクリスティがまたよける。ラウルの身体は壁を突きぬけ、大きな穴をあけた。

ライリーはケビンの肩をつかみ――聞き覚えのある甲高い音が響く――右手を引きちぎった。ケビンは痛がって泣き叫び、ライリーの手を逃れようともがいたところで脇腹を蹴りつけられた。またゾッとするような高音が宙を切り裂き、次の瞬間、ケビンの右腕はライリーの手のなかにあった。ライリーはその腕をひじのところで半分にちぎり、もだえ苦しんでいるケビンの顔にたたきつけた――ガッ、ガッ、ガッ、ハンマーで岩をたたくような衝撃。

「おまえたちはなんでこうなんだ?」ライリーはわめき散らした。「なんでこんなにバカなんだよ?」

ライリーにつかみかかられたブロンドのスパイダーマン少年はジャンプして逃げた。でもフレッドのそばに着地したせいでウッとうめき、ライリーのほうへ後退していく。

「おまえたちの頭はからなのか?」

ライリーはディーンという少年を投げつけてゲーム機コーナーを破壊すると、次はサラという少女をつかまえて左耳と髪を一束《ひとたば》むしりとった。苦悶《くもん》の悲鳴があがる。

ライリーのしていることはどう見ても危険だ。あたしたちのほうが人数は多いんだから。ラウルはすでに起きあがり、彼と敵対していたはずのクリスティとジェンがその両脇をかためている。ほかにも、部屋のあちこちで小さなグループができつつあった。

危険を察知したのか、ガス抜きがすんだのか、ライリーの暴力はようやくおさまった。深く息を吸いこみ、サラの耳と髪を放りだす。サラは耳をつけなおそうと、断面をなめて毒液を含ませながらあとずさった。でも髪のほうはどうしようもない。抜けたところはそのままだ。

「よく聞け！」ライリーはいった。抑えているけど、迫力がある。「いまからする話にぼくたち全員の命がかかっている。だからしっかり聞いて、よく考えろ！　このままだと、ぼくらは全滅する。これから数日、おまえたちが頭を使って動かないと、おまえたちもぼくも、ひとり残らずみんな死ぬぞ！」

いうとおりにしてくれ、と訴えるいつもの説教とはまるでちがう。ライリーの話に全員が耳をかたむけていた。

「大人になって、責任を取ってもらうときが来た。この生活をただで手に入れたと思ってたのか。シアトルであれだけ血をむさぼってなんのツケも払わずにすむと？」

数人ずつかたまっていたグループはみな戦意を失っていた。全員、驚いた顔をしていて、困惑の視線を交わす者もいる。フレッドがこちらをむいたのがちらっと見えたけど、あたしは目を合わせなかった。あたしはふたつのことに集中していた。まず、ライリー。また暴れられるとこまるから。もうひとつは、ドア。まだ閉ざされたままのドアだ。

「みんな、聞いてるか。いいな？」ライリーが言葉を切っても、うなずく者はいない。部屋は水を打ったように静まり返っていた。「ぼくたちが置かれている危機的状況について、これから説明する。アタマの鈍いやつでもわかるように、かみくだいて話してやる。ラウル、クリスティ、こっちへ来い」

ライリーは自分に逆らおうとして一時的に休戦していた二大派閥のリーダーを呼んだ。ふたりともかたく身がまえたまま、動こうとしない。クリスティは歯をむきだしている。あたしはライリーが折れてあやまると思った。ふたりをなだめ、いうことをきくよう説得するのではと。でも、今日のライリーはちがった。

「上等だ」ぴしゃりという。「生き抜くためにはリーダーが必要だが、おまえたちにはまかせられないらしいな。素質があると思ったが、勘ちがいだった。ケビン、ジェン、トップに立ってぼくを補佐しろ」

ケビンは驚いて視線をあげた。ちょうど、腕をもとへもどしたところだ。腰が引けているけれど、選ばれて得意になっているのはまちがいない。ケビンはゆっくり立ちあがった。ジェンは許可を待つようにクリスティを見た。ラウルは歯ぎしりをしている。

階段の上のドアはまだあかない。

「おまえたちもダメなのか」ライリーはいらいらしてたずねた。

ケビンがライリーのほうへ一歩踏みだしたとき、ラウルが突進した。低めのジャンプ二回で広い部屋を横断し、無言でケビンを壁に押しやると、ライリーの右側に立つ。

ライリーは小さく笑みを浮かべた。露骨な揺さぶりだったけど、効果はあった。

「クリスティとジェン、どっちがリーダーになる?」ライリーは少し楽しんでいるようにきいた。

ジェンはクリスティの指示をまだ待っている。クリスティはジェンをひとにらみしてから、顔にかかった砂色の髪を払い、ライリーの左へ急いだ。

「時間をかけすぎだぞ」ライリーは真剣にいった。「ゆっくりやってる余裕はない。もう遊んでる場合じゃないんだ。いままでは好き勝手にやらせてきたが、それも今夜でおしまいだ」

ライリーは部屋を見まわし、全員の目を見て、ちゃんと聞いているかたしかめた。あたしは自分の番が来るとちらりと目を合わせたものの、またすぐドアを見てしまった。あわてて視線をもどすと、ライリーの鋭い視線は次へ移っていた。よそ見を気づかれた？　それともフレッドのおかげで、そもそもあたしの姿は見えていなかったとか。

「ぼくたちには敵がいる」と告げ、ライリーはみんなにその言葉が浸透するのを待った。ショックを受けている者もいる。これまで、敵といえばラウルだった――あるいは、ラウルにつく者にとってはクリスティが。ここが全世界だから、敵もこのなかにいた。自分たちを左右するだけの強大な勢力が外界にいるという考えは、大半のメンバーには未知のものだ。あたしも昨日まではそうだった。

「気づいていたやつもいるかもしれないな。自分たちが存在するなら、ほかにも吸血鬼がいるんじゃないかと。もっと古くからいて、かしこく……〝能力〟のある吸血鬼だ。ぼくたちの血を狙おうとするやつらが！」

ラウルが威嚇《いかく》するように鋭く息を吐くと、仲間が数人加わった。

「ああ、そうだ」ライリーはけしかけるようにいった。「かつてシアトルを支配し、大昔によそに出ていった連中だ。ぼくたちのことを知り、なじみにしていた手軽なエサ場が恋しくなったらしい。こちらのものだと知っていながら、取り返したがってる。奪いにくるんだ。ぼくたちをひとりひとりしとめるつもりだぞ。ぼくたちは炎に焼かれ、やつらは血の饗宴《きょうえん》に興じる！」

「そうはさせないわ」クリスティがうなった。彼女とラウルの仲間の数人が同調して声をあげた。

「選択肢は少ない」ライリーはいった。「敵があらわれるのをここで待っていれば不利になる。もとはやつらのなわばりだからね。数とパワーではこっちが上だから、あっちは正攻法の勝負を嫌う。ひとりずつ、ばらばらのところを狙ってくる。そして、ぼくたちの最大の弱点を突いてくるんだ。それがなにかわかる、デキるやつはいるかな」というと、ライリーは足もとの灰を指して待った。いまでは吸血鬼の面影もない、ただのカーペットの汚れだ。

だれも動かない。

ライリーが、うんざりしてうめいた。

「結束力だ！」と叫び、「そいつが欠けてるんだよ！　内輪で殺しあってる集団が敵にとって脅威になるか？」といって、足もとを蹴りつける。ぱっと黒い塵が舞いあがった。

「敵はぼくらをあざ笑っている。こんな連中からあの街を奪還するのはちょろいもんだと。おろかな弱小軍団だからな！　あっさり血をゆずってくれるって」

吸血鬼の半数から怒声があがった。

「おまえたち、協力できるか。それともみんなで死ぬか？」

「そんなやつら、ぶっ倒してやるぜ」ラウルがうなる。

ライリーがにらみつけた。

「自分をコントロールできなければ無理だ！　この部屋にいる全員で一致団結できなければ道はない。殺した仲間のだれかが――」ライリーはまた、つま先で灰をつついた。「おまえたちを救ってくれた可能性だってあるんだぞ。血で結ばれた氏族のメンバーを殺すのは、敵に贈りものを差しだすも同然だ。どうぞ殺してくださいっていってるようなものなんだよ！」

クリスティとラウルはまるで初対面のように視線を交わした。ほかの連中もたがいを見る。氏族という言葉は知っていたけれど、だれひとり、このグループにあてはめたことはなかった。あたしたちはひとつの集団なんだ。

「敵について話そう」ライリーがいうと、全員が彼の顔を見すえた。「やつらはぼくたちより、ずっと経験がある。数百年にわたって生きのびてきた。そこにはそれなりの理由がある。狡猾《こうかつ》で、腕の立つ連中なのさ。余裕をかましてシアトルを奪いにくるぞ。なにしろ唯一の邪魔者であるぼくらのことを、勝手に自滅して手間を半分省いてくれる、野放図なガキの集まりだと思っている！」

またうなり声があがったけれど、そのいくつかは怒りより警戒に近かった。ライリーが呼ぶところの「いい子」に入るはずの、おとなしめの吸血鬼数人はおどおどしている。

ライリーもそれに気づいた。

「あっちはそう思ってる。でもそれは、団結した姿を知らないからだ。総力戦なら敵を壊滅できる。力をあわせて全員で戦うぼくたちを見たら、あいつらは震えあがるさ。だから、そういうところを見せてやるんだ。敵の襲来を待ってあっさり狙いうちされるようなバカなまねはしない。逆に奇襲をかける。四日後に」

四日後？　なら、〈あの女〉は期限ギリギリまで粘るのはやめにしたんだ……。あたしは閉ざされたドアをもう一度見た。ディエゴはどこなの？

みんなは四日後と聞いて驚いている。怖《お》じ気《け》づいているやつもいた。

「敵は思ってもいないはずだ」ライリーは勇気づけた。「ぼくたち全員が一丸となって、待ちぶせているなんて。最後にいちばんの朗報だ。敵はたった七人しかいない」

耳を疑う者たちのつかのまの沈黙。

ラウルが口をひらいた。

「なんだと？」

クリスティもあっけに取られてライリーを見つめている。部屋がざわつき始めた。

「七人？」

「ウソだろ？」

「待て」ライリーが鋭くいった。「それでも危険な集団であることに変わりはない。こざかしく、腹黒い。卑怯《ひきょう》なやつらだ。ぼくたちの武器がパワーなら、あっちの武器は策略だ。むこうの土俵で戦ったら勝ち目はない。けど、こっちのペースに引きこめば……」ライリーは最後をぼかしてにやりと笑った。

「速攻でやろうぜ」ラウルが勇みたつ。「邪魔者はとっとと消すんだ」

ケビンも興奮しきったうなり声をあげた。

「バカだな、落ち着け。なにも知らずに攻めこんだら、勝てるものも勝てなくなる」ライリーはおだやかにたしなめる。

「じゃあ、知っておくべきことを全部教えて」クリスティはそう頼むと、上から目線でラウルを見た。

ライリーはしばらく、どう話したものか迷っていた。

「いいだろう、なにから始めようか。真っ先に伝えておくべきなのは……吸血鬼のことで、まだ話していないことがあるってことだ。最初からあまり驚かせたくなかったんでね」言葉が途切れた。みんなとまどっている。「〝能力〟と呼ばれるものに、おまえたちも少しはなじみがあるはずだ。フレッドがいるからな」

みんながフレッドを見た――というか、見ようとした。フレッドがご指名をイヤがったのは、ライリーの顔つきでわかった。話題にあがった〝能力〟の強度を思いきりあげたらしい。ライリーは首をすくめ、あわてて視線をそらした。でも、あたしはなんともない。

「いいか、どの吸血鬼にも並みはずれた強靭《きょうじん》さと鋭い感覚がある。だがなかには、それ以上の力に恵まれる者がいる。その一例がこの……集団にいる」ライリーはフレッドの名を出すのをあえて避けた。「〝能力〟のある者の出現率は低い。五十人にひとり、いるかいないかだ。ひとつとしておなじものはない。ピンからキリまである。種類だけでなく威力という意味でも」

自分にもその力があるかと、あちこちでひそひそ話し声がする。ラウルはオレさまにその力がないはずはないと決めつけたらしく、すっかり得意顔だ。でもあたしの見るかぎり、このなかで特別といえるのはただひとり、すぐ隣に立っている人だけ。

「ちゃんと聞け!」ライリーが声をあげた。「おしゃべりのネタを提供したわけじゃないんだぞ」

「その敵は」クリスティが口をはさんだ。「〝能力〟があるのね?」

ライリーはよしよしと、うなずいた。

「そのとおり。点と点をつなげられる子がいて、嬉しいね」

ラウルの上唇がピクピク動き、歯がのぞく。

「敵の集団には、危険な異能者がいる」ライリーは声をひそめ、話を続けた。「マインドリーダーだ」そこで、ことの重大さが伝わったかどうかたしかめるようにみんなの顔を見まわす。合格点は出なかったらしい。「考えてもみろ! 頭のなかを全部読まれるんだ。攻撃を仕掛けたくても、知らないうちに次の動きを察知されてしまう。左に動けば、やつはそこで待ちかまえている」

みんながその場面を想像し、張りつめた沈黙が流れた。

「だから、いままで用心してきた——ぼくも、おまえたちを生みだしたあの人も」

〈あの女〉の話が出たとたん、クリスティはビクッとあとずさった。ラウルはますますいきりたつ。緊張感で空気がビリビリしていた。

「おまえたちは、あの人の名前も姿も知らない。それはみんなを守るためだ。もし敵がぼくたちのだれかに出会っても、あの人とのつながりに気づかなければ手は出さないかもしれない。でもあの人の集団のメンバーだとバレたら最後、死刑執行だ」

　話の流れがおかしい気がする。秘密によって守られるのは、あたしたちというより、〈あの女〉の安全でしょ？　だけどライリーは深く考えるスキを与えず、話を進めた。

「もちろん、敵がシアトルに乗りこんでくるとなったからにはもう関係ない。攻めこまれる前に待ちぶせて殲滅《せんめつ》する」そこで歯のすきまからヒューッと低い音を出す。「皆殺しだ。そしたら、あの街は完全にぼくらのものだし、ほかの集団もぼくたちのおそろしさを思い知るだろう。こそこそする必要もなくなる。全員、血を浴びるようにのめる。毎晩街に繰りだして。ぼくらはあの街に移り、支配者になるんだ」

　さまざまな低いうなり声が喝采のように広がった。全員、ライリーを支持している。あたし以外は。あたしは身じろぎせず、物音ひとつたてなかった。フレッドもだ。でも、その理由はわからない。

　ライリーの約束はウソくさくて、したがう気になれない。それともあたしの推理はまるで的はずれなの？　この敵さえ消せば、狩りをするのに用心も制限もいらなくなる、とライリーはいった。でも、それはほかの吸血鬼たちもひと目を忍んでいる事実と矛盾する。でなければ、人間たちはとっくの昔に吸血鬼の存在に気づいていたはずだ。

じっくり考えて答えを出そうにも集中できない。階段の上のドアが、まだ動かないから。ディエゴはどこにいるの……。

「だが、そのためには協力が不可欠だ。これから、いくつかのテクニックを説明する。戦闘のテクニックだ。ガキの取っ組みあいみたいに単純なもんじゃないぞ。暗くなったら、外に出て練習する。全力で取り組め。くれぐれも気をゆるめるな。メンバーをひとりでも減らすなよ！　おたがい欠くことのできない相手だ――全員がな。もう軽率なまねは許さない。ぼくの指示をなめていると、泣きを見るぞ」一拍、間があいた。ライリーの顔が新しい表情をつくりあげていく。「そういうやつは代償を払うことになる……あの人の前に連れだされた瞬間にな」あたしはぶるっと震えた。みんなもおなじだったのか、こきざみな揺れが部屋に広がった。「ぼくがそいつの動きを封じ、あの人が両脚をもぎとる。そしてゆっくり、時間をかけて焼き尽くす。指、耳、唇、舌……よけいな飾りものをひとつひとつ順番に」

だれだって手足をもがれたことがあるし、転生するときには燃えるような激痛にのまれた。だから、その苦しみはありありと想像できる。でもほんとうにおそろしいのは脅しそのものではなかった。それを口にするライリーの顔だ。頭に血がのぼるたびに見せてきた、いつもの歪《ゆが》んだ表情とはちがう。冷静沈着で、さりげなく、美しい。口もとにはかすかな笑み。その瞬間、あたしは思った。これは新しいライリーだ。なにかが彼を変貌させ、鍛えあげた。たった一晩でこんなスキのない冷酷なほほえみをつくりだすなんて、いったいなにが起きたんだろう。

あたしはかすかに身震いして目をそらした。そして、ラウルの顔がライリーとそっくりに変わるのを見た。頭のなかでギアが入れ替わるのが見えた気がした。この先、ラウルに目をつけられたやつはじわじわなぶり殺しにされそうだ。

「さあ、グループで動けるようにチームをつくるぞ」ライリーはふだんの顔にもどっていった。「クリスティ、ラウル。下のやつらをまとめて、残りを半々にわけろ。モメるなよ！　もう大人だってところを見せてみろ。お手並み拝見だ」

ライリーはふたりから離れた。とたんに口喧嘩が始まったが、それにはかまわず、弧を描くように壁ぎわを歩きながら、数人の肩をたたいて新しいチームリーダーのほうへ軽く押しやる。こちらにむかっていることに、あたしは最初のうち気づかなかった。大きく迂回していたからだ。

「ブリー」といって、ライリーはあたしのいるほうへ目をこらした。やっとのことでしぼりだしたような口調だった。

あたしは氷の塊《かたまり》のようにかたまった。ゆうべ、尾行したことをかぎつけられたにちがいない。もうおしまいだ。

「ブリー」ライリーは声をやわらげて繰り返した。あたしに初めて声をかけたときの、優しいライリーのように。さらに声をひそめて続ける。「ディエゴから伝言をあずかってる。〝ニンジャ〟のことだといえばわかるって。どうかな?」

ライリーはまだこちらを直視できないみたいだけど、じりじりと近づいてくる。

「ディエゴが?」考えるより先につぶやきがもれてしまった。

ライリーはほんの少しほおをゆるめた。

「話をしないか」首をかたむけてドアを示す。「窓はすべて確認した。一階は真っ暗だから安全だよ」

あたしの安全は、フレッドから離れたとたんに失われてしまう。そうわかっていても、ディエゴからのメッセージがあるなら聞かないわけにいかない。なにがあったの? あたしもいっしょに残って、ライリーと話をするんだった。

あたしはじっとうつむき、ライリーについていった。ライリーはラウルにいくつか指示を出してクリスティにうなずきかけ、階段をのぼっていく。数人がその行き先を興味深そうに目で追っているのが、視界のすみに映った。

ライリーが先にドアを通りぬけ、まずキッチンに入った。予告どおり、一階は完全なる闇だ。ライリーはついてくるよう合図してさらに暗い廊下を進んでいく。あけっぱなしの寝室のドアをいくつか通過し、安全錠のついたドアのなかへ入った。着いた先はガレージだった。

「きみは勇気がある」ライリーは声をぐんと落とした。「それとも人を疑うことを知らないのかな。太陽が出ているから、上に連れてくるのにもっと手を焼くかと思った」

しまった！　もっとおどおどしてみせるんだった。もう遅い。あたしは肩をすくめた。

「きみとディエゴはずいぶん親しいんだね」ライリーはささやいた。地下室が静まり返っていれば、それでもみんなに聞こえたかもしれない。でもいまはかなり騒々しい。

あたしはまた肩をすくめ、小声で答えた。

「命の恩人だもの」

ライリーはすっとあごを上げた。納得したとはいえない。あたしの答えを反芻《はんすう》している。信じてくれた？　太陽をこわがっていないこと、まだバレていない？

「ディエゴは最高だ。うちではいちばん頭がキレる」

あたしはこくりとうなずいた。

「ディエゴといまの状況について少し話したんだ。で、偵察が必要だってことになった。やみくもに攻めこむのは危険すぎるからね。斥候《せっこう》役をまかせられるのは、ディエゴしかいなかった」ライリーは腹立たしげにため息をついた。「ディエゴがふたりいればな！　ラウルは気が短すぎるし、クリスティは自分中心で全体ってものが見えない。それでも、いちばんましだから、なんとか使いこなさないと。ディエゴはきみも頭がいいって」

あたしはだまっていた。あたしとディエゴのこと、ライリーはどこまで知っているんだろう。

「フレッドの件できみの助けがいるんだ。あいつの強さは本物だ！　さっきなんて、まともに見ることもできなかった」

あたしはまた慎重にうなずいた。

「考えてもみろよ。敵にぼくたちの姿が見えなかったら？　楽勝だ！」

フレッドは乗り気にならないと思うけど、どうだろう。うちの集団になんてまるきり興味がなさそうなのに、助けてやろうなんて思うかな。あたしは返事をしないでおいた。

「きみはいつもフレッドといっしょにいる」

あたしは肩をすくめた。

「そうすれば、だれにもちょっかいを出されないから。結構、キツいけど」

ライリーは口を閉じてうなずいた。

「賢明だな。ディエゴのいったとおりだ」

「ディエゴはどこに？」

きくんじゃなかった。言葉が勝手に飛びだしてしまった。心配でしかたがない。そしらぬ顔をしようとしたけど、たぶん失敗だ。

「時間を無駄にできなくて。敵がこっちにむかってると気づいてすぐ、ディエゴを南へ送りこんだ。相手が攻撃を前倒しするなら、事前に報告を受けたいからね。ぼくたちが攻撃にかかる時点で、合流する予定だ」

ディエゴがいまどこにいるのか想像しようとした。あたしもそばにいられたらいいのに。そうすれば、ライリーの命令にしたがったり、そのせいで危険に身をさらしたりするのはやめてと説得できたかもしれない。絶対ではないけれど。心配していたとおり、ディエゴとライリーの絆《きずな》はかたそうだ。

「あることをきみに伝えるよう、ディエゴに頼まれた」

あたしの目はすばやくライリーの顔をとらえた。あせりすぎだ。またボロを出してしまった。

「ぼくには意味不明だけど、こういってたよ。『握手は完成。四日後、会ったときに教える』って。いったい、なんのことだか。きみはわかる？」

あたしはポーカーフェイスを必死に通した。

「なんとなく。秘密の握手が必要だ、とかいっていたから。あの海中洞窟のパスワードみたいなもの。冗談だと思ってた。なんでいまその話が出るのかよくわかんない」

ライリーはくすっと笑った。

「ディエゴがかわいそうだ」

「えっ？」

「なんだかあいつのほうが熱をあげてるみたいで」

「そんな」あたしはとまどって目をそらした。ディエゴのメッセージは、ライリーを信じていいという意味なの？　あたしが太陽の秘密を知っていることはまだ話してないみたいだけど……ディエゴがライリーをかなり信用しているのはまちがいない。あたしへの想いとか、いろいろ明かしてる。それでも、よけいなおしゃべりは禁物だ。事情が変わりすぎた。

「ディエゴを見切るのは早いぞ。いったろ、あいつは最高だ。チャンスをあげなよ」

ライリーがあたしに恋のアドバイス？　こんなおかしな話はない。あたしはこくりとうなずき、小声でいった。

「わかった」

「フレッドに話をしてくれるかな。なんとかやる気にさせてほしい」

あたしは肩をすくめた。

「やるだけやってみる」

ライリーは笑顔を見せた。

「よかった。出発前に呼びだすから、結果を聞かせてくれ。次はなにげなく声をかけるようにする。フレッドのことを裏で話してるって、本人に気づかれるとまずいから」

「わかった」

ついておいで、と合図して、ライリーはまた地下室へむかった。


訓練は一日じゅう続いたけれど、あたしは参加しなかった。ライリーはチームリーダーのもとへ、あたしはフレッドのそばへもどった。ほかのみんなは四人ずつ四組にわかれ、ラウルとクリスティの指示で動いている。フレッドはどこにも入れられなかったようだ。選ばれても無視したのかもしれないし、そもそもだれにも姿が見えていないのかも。でも、あたしには見える。フレッドは目立っていた。たったひとりの部外者。地下室にいる大きなブロンドの象。

いまさらラウルかクリスティのチームに入る気にもならず、あたしは見学することにした。フレッドといっしょにはずれていても、だれも気づいたようすはない。〝能力〟に恵まれたフレッドのおかげで、ふたりとも透明人間になっているはずなのに、あたしは他人の視線が気になってしかたなかった。自分でも自分の姿が見えなければ、視覚のマジックを信じることができるのに。でもしばらくすると、ようやくだれにも見られていないと納得し、肩の力をちょっぴり抜いた。

訓練をじっくり観察する。もしものときに備えて、すべてを知っておきたい。戦うつもりはない。ディエゴを見つけて逃げるんだから。でも、ディエゴが戦うといったら？　逃げるために戦うはめになったら？　やっぱり、しっかり見ておいたほうがいい。

一度だけ、ディエゴのことが話題になった。発言したのはケビンだったけど、たぶんラウルが裏で糸を引いている。

「結局、ディエゴは焼け死んじまったわけか」ケビンはわざとらしく茶化していった。

「ディエゴはあの人といっしょだ。偵察に出てる」

〝あの人〟とはだれのことか、たずねる者はいなかった。

数人が身震いした。ディエゴの話はそれきりでおしまいになった。

ディエゴはほんとうに〈あの女〉といるの？　考えると寒気がした。みんなをだまらせるためのウソかもしれない。ライリーは今日、ラウルをおだててうまく動かすのに、ディエゴに嫉妬《しっと》させることなく、自分がナンバーワンだと思わせておきたいはず。断言はできないし、あえて確認するつもりもないけれど。あたしはいつもどおり沈黙を守って、訓練を見守った。

ついに見飽きて、のどが渇いてきた。訓練は二晩はさんで三日間、休みなく続いた。昼間はきゅうくつな室内に押しこまれるせいで、騒ぎになるのは避けられない。ライリーにとってはある意味、都合がいい――乱闘がエスカレートする前にとめられるから。夜の野外訓練ではスペースに余裕ができたけど、そのぶんライリーはあちこち飛びまわり、もがれた手足をキャッチして持ち主に返すのに奔走していた。でも怒りを爆発させることもなく、ライターも今回は事前にもれなく没収した。ラウルとクリスティが連日ぶっとおしで小競りあいを続けたら、どうせ大混乱になって死者が出る――あたしはそう思っていた。でも、ライリーは予想よりずっとうまく部隊をコントロールしていた。

でも、ほとんどおなじことの繰り返し。気づけば、ライリーはおなじ指示を呪文みたいに唱えていた。

「協力しろ、背後に気をつけろ、正面から突っこむな。協力しろ、背後に気をつけろ、正面から突っこむな。協力しろ、背後に気をつけろ、正面から突っこむな」ホントになんだか滑稽《こっけい》なくらいで、みんないつにもましてバカっぽく見える。フレッドのそばでのんびり傍観するかわりに、戦闘のただなかに身を置いたら、あたしも似たようなものなんだろうけど。

そういえばライリーは、太陽の恐怖を教えこむのにおなじやり方をした。執拗《しつよう》な反復。とはいえ、一日目の十時間も経過したころにはもう退屈してしまった。フレッドがトランプでソリティアを始めた。あたしとしてもおなじ失敗をえんえん見続けるよりおもしろかったから、ほとんどフレッドを見学していた。

それからさらに十二時間後の室内練習中だった。あたしは赤の5を指して動かせるよとフレッドに教えてあげた。フレッドはうなずき、カードを移動させた。その回がアガリになると、フレッドはあたしにもカードを配った。ふたりでセブンブリッジをする。おたがいだまったままだけど、フレッドは何度か笑顔をのぞかせた。あたしたちに目をむける者も、訓練に参加しろという者もいなかった。

狩りに行かせてもらえず、渇きは隠しきれないまでにつのった。挑発もそこそこに、あちこちでイザコザが起こる。ライリーの命令は鋭さを増し、ライリー自身の手で腕が二本引きちぎられた。あたしは焼けるような渇きを忘れようとがんばった――のどが渇くのはライリーもおなじ、これがいつまでも続くはずはない。それでも、頭のなかは渇望で染めあげられていた。フレッドもかなりピリピリしている。

三日目の夜が訪れた。残りあと一日。時計の針が進むようすを想像するだけで、からっぽの胃がよじれる。ライリーは戦闘演習をいっせいにとめた。

「そこまでだ」と声をかけたライリーをかこみ、みんなはゆるやかな半円を組んだ。もともとつるんでいた者同士でかたまっているところを見ると、訓練で派閥が解消されたわけではないらしい。フレッドはトランプをうしろポケットに入れて立ちあがった。ムカツキを誘発する彼のバリアに隠してもらおうと、あたしもすぐ隣に立った。

「みんな、よくやった。今夜は報酬をやる。好きなだけのんでおくんだ。明日はエンジン全開にしたくなるはずだからな」

ほぼ全員が、大きく安堵《あんど》のため息をついた。

「全開にする必要がある、じゃないぞ、全開にしたくなるんだ」ライリーは続けた。「みんな、戦術を身につけたからな。バカをやらずによくがんばった。おまえたちを見たら、敵は仰天するぞ！」

クリスティとラウルが血気盛んにこたえると、すぐにそれぞれの仲間が加わった。目を疑う光景だったけれど、その瞬間、連中はたしかにひとつの部隊に見えた。行進の隊列を組んだわけでもなんでもない。でも、一体感があった。まるで全員でひとつの生命体をなしているみたい。フレッドとあたしだけはここでも例外だった。そんなあたしたちの存在を少しでも意識しているのはライリーだけ。彼の目はときどき、まるでフレッドのパワーを推しはかるかのように、あたしたちのいるあたりを行き来している。部隊に参加していないことはたいして気にしていないみたい。少なくとも、いまのところは。

「待てよ、明日の〝夜〟だよな?」ラウルが問いただした。

「そうだ」ライリーは奇妙な薄笑いを浮かべた。でもあたし以外に、彼の答えに違和感を覚えた者は――フレッドだけだった。フレッドは片方の眉をひそめ、あたしを見おろす。

あたしは肩をすくめた。

「報酬を受けとる用意はいいか?」ライリーは呼びかけた。

兵士たちは咆哮《ほうこう》でこたえた。

「敵を葬り去ったあと、どんな世界が待っているのか……今夜は味見させてやる。さあ、ついてこい!」

ライリーが飛びだした。ラウル軍団がすぐうしろに続くと、クリスティの一派がわれ先に押しのけ、かきわけていく。

「期待を裏切るなよ！」前方の木立からライリーの大声が響いた。「おまえたちが血にありつけなくたって、ぼくは痛くもかゆくもないんだ！」

クリスティが号令を発し、彼女のグループはしぶしぶラウルたちの後続にまわった。フレッドとあたしはじっと待った。ようやく最後のひとりが見えなくなると、フレッドがどうぞ、とでもいうように手のひらで行く手を示した。背後を取られたくないわけではなく、ただのレディファーストらしい。あたしは部隊を追って駆けだした。

先行組はかなり遠くにいるけど、においを追うのはわけもない。フレッドとあたしは並んで黙々と走った。フレッドはなにを考えているんだろう。のどの渇きでそれどころじゃないかな。あたしとおなじで、彼ののども熱く焼けているはずだ。

五分後にはみんなに追いついたけれど、そのまま距離を保った。部隊の動きは驚くほど静かだ。集中していて……統率されている。どうせなら、もっと早く訓練をしてくれればよかったのに。こういう集団ならもっと楽にそばにいられたはず。

あたしたちはがらがらの二車線の高速道路を横切り、ふたたび森を抜けて海岸に出た。波はおだやかだった。ほぼ真北に進んできたから、海峡のあたりだ。ずっと民家は見かけなかったけど、あえてこのルートを選んだにちがいない。高まる渇きと興奮のせいで、いまのささやかな組織力などほんの小さなきっかけでぐだぐだになり、けたたましい血の饗《きょう》宴《えん》につながりかねない。

全員で狩りをしたことはないけれど、いまはやめておいたほうがいいと本気で思う。ディエゴと初めて話したあの夜に、車の女を奪い合ったケビンとスパイダーマン少年のことを思い出す。ライリーがたくさんエサを用意していればいいけれど。さもないと、吸血鬼たちは血を奪い合い、たがいをバラバラにしてしまう。

ライリーが水際で足をとめた。

「遠慮するな。たっぷり腹を満たして力をつけてくれ、思いっきり。さあ行こう、お楽しみの時間だ」

ライリーは滑るように水面に飛びこんだ。みんなも色めきたち、うなり声をあげながら海に消えていく。水中では臭跡を追えないから、フレッドとあたしもあまり遅れずに続いた。でもフレッドはためらいがちで、この先にあるのが食べ放題のバイキングでなかったら、すぐ逃げだすつもりなのが見て取れる。フレッドもあたしとおなじくらい、ライリーを信用していない。

それほど長く泳がないうちに、前にいた連中が水面へ上昇した。フレッドとあたしが最後に顔を出すとすぐに、ライリーが待ちかねたように話を始める。ライリーはほかの連中より、フレッドの存在を意識しているにちがいない。

「ほら、あれだ」ライリーが指した先には南へむかう大型フェリーがあった。たぶん、カナダからもどる通勤客を乗せた最終便だ。「ちょっとここで待ってろ。電気が消えたら、あの船は丸ごとおまえたちのものだ」

興奮のざわめきが広がる。忍び笑いも聞こえた。ライリーが弾丸のように飛びだしていき、数秒後には、船腹にジャンプする姿が見えた。そのままてっぺんの操舵室へ直行する。無線を切るのだろう。用心をするのは〝敵〟のためだとライリーはしきりにいうけれど、それだけじゃないに決まってる。人間は吸血鬼のことを知ってはならない。許されるのはほんの一瞬——死の直前だけだ。

ライリーは大きな板ガラスの窓を蹴破って操舵室に消えた。五秒後、照明がいっせいに落ちた。

ラウルはすでにいない。まわりに気づかれないように潜行してライリーを追ったらしい。みんなが動きだし、肉食魚のバラクーダの大群が襲撃したかのように、水面が激しく波打った。

フレッドとあたしは抑えたペースでついていった。ヘンな話、あたしたちはまるで長年連れ添った夫婦みたい。ひとことも話さないくせに、ぴったりシンクロしている。

ほぼ三秒後に船に着いてみると、すでにあたりは悲鳴とあたたかい血の香りであふれていた。においをかいだ瞬間、どれほどのどが渇いていたかを思い知る。そう意識したのを最後に、脳は完全にシャットダウンした。残されたのは耐えがたいのどの痛みと、ありあまるほどの血――炎を鎮《しず》めてくれる美味《おい》しい血。

すべてが終わり、脈を打つ心臓が船上からひとつ残らず消えた。あたしはこの手で何人殺したのかもわからなかった。これまで一晩の狩りでしとめた人数の軽く三倍は超える。身体が熱く、血がたぎっている。渇きがすっかり潤っても、あくことなく血を味わった。船上の血はほとんどが汚れのない上物《じょうもの》だった。フェリーの乗客は社会のゴミではなかった。手かげんしたつもりはぜんぜんないけど、あたしが手にかけた数はそれでもいちばん少ないくらいだ。ラウルにやられたズタズタの死体はちょっとした塚になっていて、本人はそのてっぺんに座って高笑いしていた。

笑っているのはラウルだけではない。暗い船上は歓喜に満ちていた。クリスティが「最高だった、ライリー万歳！」と叫ぶと、下の連中もほろ酔い気分の一団のように万歳三唱する。

ジェンがケビンとずぶぬれで展望デッキにあらわれ、ライリーにいった。

「ボス、残さず全部もらっておいたよ」海に逃げた人がいたらしい。そんなこと、気づきもしなかった。

あたしはきょろきょろとフレッドを探した。なかなか見つからない。ようやく、自動販売機の裏のあたりを直視できないことに気づき、近づいていく。最初は船酔いかと思ったけど、そばに行くにつれてムカツキは薄れ、ようやく窓際にいたフレッドの姿が見えた。あたしに一瞬笑いかけ、すぐにその目をあたしの頭上にむける。視線を追うと、その先にライリーがいた。どうやら、しばらくライリーのようすをうかがっていたらしい。

「よし、みんな」ライリーがいった。「この先の甘い生活の一端を味わえただろう。さあ仕事だ！」

みんな、熱狂的な咆哮《ほうこう》をあげた。

「おまえたちに伝えることがまだみっつある。ひとつは、ちょっとしたデザートつきだ。船を沈めて帰ろう！」

笑い声と雄叫びが響きわたり、部隊は船の解体に取りかかった。フレッドとあたしは窓から海に飛びこみ、みんなの働きぶりを間近で眺めた。ほどなく、轟音《ごうおん》をあげて船体がまっぷたつに潰《つぶ》れた。まず中央が浸水し、両端がねじれながら空に立ちあがった。船首と船尾は順番に沈み、最後に船首のほうが数秒残って水中に消えていった。バラクーダの大群がこっちにむかってくる。フレッドとあたしは海岸をめざして泳ぎ始めた。

一定の距離をキープしながら、ほかの連中といっしょに家まで走った。フレッドは二、三回、なにかいいたそうにあたしを見ては、思い直していたようだった。

家に帰ると、ライリーはお祭りムードを落ち着かせようとした。数時間すぎても、みんなの興奮はおさまらない。ライリーが喧嘩でなく高揚感を鎮《しず》めるのに手を焼くなんて初めてのことだ。ライリーの約束があたしの読みどおりウソだとしたら、奇襲作戦のあとでまずいことになる。みんな、ごちそうの味をしめてしまった。一度ゆるんだネジを締めなおすのは、並大抵のことじゃない。もっとも今夜のところは、ライリーがヒーローだった。

ようやく——たぶん、日はとっくにのぼったはず——みんな冷静になって、集中できるようになった。どの顔にも、ライリーのいうことならなんでも聞くと書いてある。

ライリーは真剣な面《おも》もちで階段のまんなかあたりに立ち、口をひらいた。

「三点ある。まず、攻撃対象をまちがえることだけは避けたい。万一、ほかの一族と遭遇《そうぐう》して皆殺しにでもしたら、敵に作戦がバレてしまう。あいつらは調子に乗らせ、油断させておきたいんだ。ターゲットには見落としようのない特徴がふたつある。まずは外見からしてちがう。目が黄色いからな」

困惑のざわめきが広がった。

「黄色だと？」ラウルが気味悪そうにきき返す。

「この世界にはおまえたちの知らないことがたくさんある。連中は歳を食ってるといっただろ。だから、目が弱っている。歳のせいで黄ばんだのさ。この点でもぼくたちが有利だ」これでひとつ片づいた、といいたげにライリーはうなずいた。「でも年寄りの吸血鬼はほかにもいるから、確実な識別法をもうひとつ教えておく……ほら、例のデザートの登場だぞ」ライリーはいったん言葉を切って陰険な笑みを浮かべ、「これからする話はやっかいだ」と予告した。「ぼくも理解はできない。だけどこの目で見た。まったく、歳をとってまるくなるにもほどがあるよ。でも、老いぼれどもは――メンバーの一員として――ペットの人間を飼ってる」

水を打ったような沈黙。耳を疑っている。

「だよな、信じられないだろ。でも事実だ。ターゲットは人間の小娘を連れた集団だ。まちがえようがない」

「そんな……どうやって？」クリスティがきいた。「エサを持ち歩いてるってこと？」

「ちがう、ずっとおなじ娘を、ひとりだけ連れてる。殺すつもりもないらしい。いったいどうしてそんなことができるのか、なにが目的なのか、ぼくは知らない。個性を発揮してるつもりか、自制心を見せつけたいのか。それとも力を誇示しているのか。わからないんだ。でも、ぼくはその娘をこの目で見た。見ただけじゃない、においもかいだ」

ライリーはゆっくりと芝居がかった手つきで、ジャケットの内ポケットから小さなジップロックの袋を取りだした。ぐるぐる巻きにされた赤い布が見える。

「ここ二、三週間、ぼくは偵察していた。黄眼《おうがん》の連中が周辺に来るたび、すぐに監視にまわって」父親のようなまなざしで、ライリーはあたしたちをじっと見た。「うちの子たちのためにね。そして敵がぼくたちを狙っていると察知し、これを奪ってきた」そこで袋を振りかざす。「追跡に役立つ。いいな、このにおいを追うんだぞ」

ラウルは袋を受けとり、ビニールをあけて深く吸いこんだ。そのまま、びっくりした目でライリーを見る。

「どうだ」ライリーはいった。「たまらないだろう?」

ラウルは薄目で考えこみながら、袋をケビンに渡した。

みんなは順々に袋からにおいをかぎ、そろって目を見ひらいた。あたしは気になって、フレッドからじりじりと離れた。やがて胸がムカッとしてフレッドの領域から出たのがわかった。そのまま進んで、列の最後尾にいたスパイダーマン少年の隣にそっと並ぶ。彼は自分の番になってにおいをかぐと、袋を渡してくれた相手に返そうとした。あたしが手をのばして小声で威嚇《いかく》すると、初めてあたしの存在に気づいたみたいにギョッとして、二度見してから袋をよこした。

赤い布地はどうやらシャツらしい。あたしはビニール袋の口に鼻を差しいれ、周囲から警戒の目をそらさず、息を吸いこんだ。

なるほど……。みんなの表情も納得だ。あたしもきっとおなじ顔をしている。このシャツを着ていた人間の血はとてつもなく甘い。〝デザート〟というライリーの表現がぴったり。でも、いまあたしの渇きはいつになく満たされているから、のどは痛まない。だから顔を歪《ゆが》めることなく、ただ舌を巻いて目をまるくする。この血を味わえたら最高だ。でも、いま口にできなくてもつらくない。

いつになったら、またのどが渇くんだろう。いつもなら、血にありついて二、三時間でひりつきが再発してどんどんひどくなり、二、三日後には一秒だって無視できなくなる。さっきのんだ大量の血はあの苦しみを遠ざけてくれるの？　答えはきっとすぐに出る。

周囲を見まわし、順番を待っている吸血鬼がいないことをたしかめた。フレッドもかいでみたいはず。ライリーはあたしと目が合うと、ちらっとほほえんでフレッドのいる部屋のすみへわずかにあごをむけた。そのとたん、考えていたのと正反対の行動を取りたくなった。でも、やめておこう。ライリーに不信感をもたれたくない。

吐き気が薄れるまでがまんして進み、フレッドの隣にもどった。袋を渡すと、フレッドは気にかけてもらって喜んでいるようだった。にこっと笑って、シャツのにおいをかぐ。それから、考えこんだようにうなずき、ものいいたげな顔で袋を返してきた。今度ふたりだけになったら、さっき帰り道にいいかけてやめたことを、ちゃんと聞かせてくれそうな気がした。

袋を投げ返すと、スパイダーマンはまるで袋が空から降ってきたかのような反応を見せた。でも、床に落ちる前にちゃんと受けとめた。

みんながあのにおいについて話していると、ライリーがパンパンと手をたたいた。

「いいな、これがさっき話したデザートだ。黄眼《おうがん》の連中にはその娘がオマケでついてくる。デザートは早い者勝ち、最初に見つけたやつのものだ。シンプルだろ？」

賛同して喜ぶうなり声、闘争心に燃えるうなり声。

シンプルだけど……でも、まちがってる。あたしたちの目的は、黄眼の集団をやっつけることでしょ？　団結が成功のカギなら、先着したやつがひとり勝ちなんておかしい。そのやり方で確実に達成できるのは、人間ひとりの死だけ。部隊をやる気にさせる方法はほかにいくらでもある。たとえば、黄眼のやつらをいちばん多く殺した者に娘をやるとか。あるいはチームワークにだれより貢献した者。作戦に忠実だった者。命令にしたがった者。MVPを選んだっていい。目の前にある危険に焦点をあてなくちゃ。それは人間ではないはずだ。

　まわりを見まわしても、おなじ考えのやつはいないようだった。ラウルとクリスティはガンを飛ばしあっている。サラとジェンはひそひそと、デザートをシェアできないか相談していた。

　フレッドはなにか勘づいたのか、あたしとおなじようにしかめ面をしていた。

「そして、最後にひとつ」ライリーの声に初めてためらいが感じられた。「これはもっと信じられない話だから、ぼくがまず実証する。自分がしないことをおまえたちに命じたりしない。忘れるな、ぼくはずっとそばについていてやるからな」

　みんなはまたしんとなった。ラウルはジップロックを取りもどし、わがもの顔で握りしめている。

「吸血鬼について、おまえたちが学ぶべきことはまだたくさんある」ライリーはいった。「理にかなったこともあれば、そうでもないこともある。これからする話は、最初はおかしいと思うだろう。でも、ぼくが身をもって経験したことだし、あとでちゃんと見せてやる」そしてたっぷり間を取ってから、本題に入った。「一年に四回、太陽の角度の関係で日光が特殊な間接光になる日がある。年に四度、その日だけは安全なんだ……昼間に外に出ても」

みんなの身動きが、ぴたりと静止した。呼吸もとまった。ライリーは彫像の列にむかって話を続けた。

「その特別な一日がこれから始まる。今日の太陽はぼくたちには無害だ。この貴重なチャンスに乗じて、敵の裏をかく」

あたしの頭は混乱し、めまぐるしく回転した。つまり、ライリーは太陽の下に出ても平気だと知ってたの？　それともそれは知らなくて、〈あの女〉から、この「一年に四度」の説を聞かされたとか。あるいはライリーの話が真実で、ディエゴとあたしはたまたま、その四日間のうちの一日にあたったのか……。だけど、ディエゴは前にも日陰に出たことがあるといっていた。それに、ライリーは四季ごとの現象みたいに話しているけど、ディエゴとあたしはほんの四日前に陽を浴びても平気だった。

ライリーと〈あの女〉は、太陽をこわがらせることであたしたちをコントロールしようとしていた。それはわかる。でもなぜ、いまになって真実を？　しかもこんな、中途半端な形で。

きっと、あのおそろしい黒衣の連中のせいだ。〈あの女〉は期限に先だって攻撃を仕掛けるつもりでいる。黄眼《おうがん》のやつらを皆殺しにしても、命を助けてもらえる保証はなかった。だから、標的を片づけたらすぐに高飛びするんだ。黄眼の集団を殺して……オーストラリアとか、遠い地球の裏側まで長い休暇に出かけるというわけ。あたしたちが誘ってもらえるはずはない。ディエゴに早く会わないと。ライリーと〈あの女〉とは正反対の方角へ、ふたりで逃げよう。フレッドにも教えてあげなきゃ。ふたりきりになれたらすぐに。

ライリーの短い話にはあちこちに小細工が仕掛けてあった。すべて拾えた自信がない。ディエゴがここにいて、いっしょに洗いだせたらいいのに。

「年に四日」という話をこの場でライリーがでっちあげたのなら、その理由はわかる気がする。だって、「ずっとウソをついてたんだけどさ、これから真実を教えてやるよ」なんていって、うまくおさまるはずがないもの。今日、ライリーはあたしたちを率いて戦場へむかう。築いた信頼が少しでもあるなら、それをチャラにするわけにいかない。

「こわがって当然だ」ライリーは彫像の列に語りかけた。「おまえたちがいま生きているのは、用心しろというぼくの教えを守ったからだ。しくじることなく、いつも時間にうちへ帰ってきた。かしこく慎重でいられたのは、恐怖のおかげだ。そのまっとうな恐怖心をあっさり捨てろとはいわない。話をきいたそばから外に飛びだすとも思っていない。だが……」ぐるりと一度、部屋を見まわす。「ぼくのあとについて来い」

ライリーの目がほんの一瞬、みんなから離れ、あたしの頭上のなにかをとらえた。

「こっちをむけ。よく聞け。信じるんだ。ぼくが無事だということを、その目でたしかめてくれ。そして、自分の目を信じろ。今日の太陽を浴びると、ぼくたちの肌はおもしろいことになる。見ればわかるよ。絶対に痛い思いはしない。ぼくがおまえたちをよけいな危険にさらすわけがない。それはわかってるよな」

ライリーは階段をのぼり始めた。

「ちょっと待って――」クリスティがいいかけた。

「いいから、よく見ておけ」ライリーは歩調をゆるめもせず、クリスティの言葉をさえぎった。「これで、ぼくたちはぐんと有利になる。黄眼《おうがん》の連中もこの日のことは知っているが、こっちも知ってるとは思っていない」話しながらドアをあけ、ライリーは一階のキッチンへ入った。完璧《かんぺき》な遮光で闇は守られているのに、それでもみんなはあけはなたれた戸口から遠ざかる。動かないのはあたしだけ。話を続けるライリーの声が玄関へ近づいていく。「ほとんどの若い吸血鬼は、この特別な日のことを受け入れるのに苦労する。あたりまえだよ。日光を警戒しない吸血鬼は早死にするからな」

あたしはフレッドの視線を感じ、顔をあげた。逃げたいのに逃げ場がないといった切羽詰まった表情で、フレッドはこちらを見つめていた。

「大丈夫だよ」ほとんど声に出さずにささやいた。「太陽にあたってもなんともない」

あいつを信じるのか？　フレッドは口だけ動かしていった。

まさか。あたしも口パクで答えた。

フレッドは片方の眉をつりあげ、ほんの少し緊張を解いた。

あたしは背後をちらっと見た。ライリーはさっき、なにを見たんだろう。変わったものはない――いまは亡き人たちの家族写真、小さな鏡、鳩時計。時間を確認したの？　ライリーにも、〈あの女〉に設定されたタイムリミットがあるのかもしれない。

「よし、みんな。ぼくはおもてに出るぞ」ライリーの声がした。「今日はこわがらなくていいんだ。約束する」

ドアがあき、地下室に光がどっと差しこんだ。ライリーの肌にあたって増幅した光だと知ってるのはあたしだけだ。壁にまばゆい反射光が躍っている。

みんなは警戒してうなり声をあげ、フレッドのいないすみのほうへ後退した。クリスティはいちばん奥にいる。取り巻きを盾にしているらしい。

「平気だよ」ライリーが呼びかけた。「なんの問題もない。痛くもなければ燃えてもいない。こっちに来て見てみろ。ほら！」

ドアに近づこうとする者はいなかった。フレッドはあたしの横で腰を落として壁にはりつき、恐怖の形相《ぎょうそう》で光を見つめている。あたしが軽く手を振って注意を引くと、視線をあげ、平静そのもののあたしの表情をさぐるように見た。それからゆっくり身体を起こして隣に立つ。あたしは勇気づけようと笑いかけた。

ほかのみんなは火の手があがるのを待っていた。ディエゴの目には、あたしもあんなふうにバカっぽく映っていたのかな。

「なあ」ライリーが待ちくたびれた声で上からいった。「おまえたちでいちばん勇気があるのはだれだろうな。だれが最初にドアを抜けてくるか、予想はついてるんだ。でも、見こみちがいってこともあるからな」

あたしはあきれて天井を見た。またしても、露骨な揺さぶり。

もちろん、効き目はあった。ラウルはさっそく、じりじりっと階段のほうへ動き始めた。クリスティは、今回ばかりはライリーの評価を競う気はないらしい。ラウルはパチンと指を鳴らしてケビンを呼んだ。ケビンとスパイダーマン少年が、のろのろとラウルの両脇についた。

「ぼくの声が聞こえるだろう。黒焦げになっていないのもわかるよな。ビビるのもたいがいにしろ！　吸血鬼なんだろ、それらしいところを見せろよ」

それでもまだ、ラウルとふたりの仲間は階段に踏みだせずにいた。ほかはだれも動いていない。しばらくして、ライリーがもどってきた。玄関から差す間接的な光を受け、戸口に立つライリーはほのかに輝いている。

「このとおりだ。ぴんぴんしてる。ウソじゃないって！　情けないやつらだな。ラウル、来い！」

ラウルがこれはヤバいと身をかわすと、ライリーはかわりにケビンをつかまえ、一階に引きずりあげた。ふたりが太陽のもとに出た瞬間、すぐにわかった。反射によって、地下に差す光がいちだんと明るくなったのだ。

「教えてやれ、ケビン」ライリーが命じた。

「ラウル、大丈夫だぞ！」ケビンが叫んだ。「うわあ。オレ……光ってるよ！　すっげえ！」大笑いしている。

「よくやったな、ケビン」ライリーが聞こえよがしにいった。

これがラウルの背中を押した。歯を食いしばり、階段をドスドスあがっていく。早足ではなかったけれど一息でのぼりきると、ラウルはすぐにケビンといっしょになって光を放ち、はしゃぎ始めた。

そこから先も、思いのほか時間がかかった。ひとりずつ、だんだんとクリアしていく。ライリーはしびれを切らし、励ましの言葉は次第に脅しに近くなっていった。

フレッドがあたしを見た。知ってたのか？　その目が語っている。

知ってた。あたしはまた唇だけ動かした。

フレッドはうなずき、階段をのぼり始めた。部屋にはまだ十人くらいいて、クリスティのグループを中心に壁ぎわで身を寄せあっている。あたしはフレッドについていった。まんなかあたりで出ていったほうがいい。ライリーには好きなように思わせておこう。

家の前の庭に、輝くミラーボールのような吸血鬼たちがいた。自分の手やたがいの顔をうっとり見つめている。フレッドは歩調をゆるめず、まっすぐ光のなかに入っていった。いろいろひっくるめても、それはすごく勇敢な行動だったと思う。ライリーによる洗脳のいい例がクリスティだ。いくら証拠を目の前に突きつけられても、自分の知識にしがみついている。

フレッドとあたしはみんなから少し離れたところに立った。フレッドは自分の姿をじっくり確認し、あたしをざっと見てから、まわりの連中を見つめた。無口だけど驚くほど観察力が鋭く、研究者さながらの視点で証拠を分析している。いままでもずっと、ライリーの言動を値踏みしてきたはずだ。はたして、どの程度までつかんでいるのか。

ライリーがクリスティを引ったててくると、彼女の仲間もついてきた。ようやく、全員が太陽の下に集まった。大半は美しい自分に大興奮している。ライリーの号令で、ふたたび軽めの戦闘訓練が始まった。たぶん、部隊の集中力を取りもどすのが目的だ。みんな次第にその時が来たと気づき、静かに、そして獰猛《どうもう》になっていく。これから本物の戦闘が待っている――敵を引き裂いて燃やすことを、許されるどころか求められる。そう考えただけでラウルやジェンやサラのようなやつらは、狩りとおなじくらいぞくぞくしている。

ライリーが命じたのは、この数日で教えこもうとしてきた戦術のおさらいだった――黄《おう》眼《がん》の連中の香りをとらえたら、二手にわかれて挟み撃ちにする。ラウルが正面から突入し、クリスティは横から。それぞれのスタイルにあってはいるけど、狩りの熱狂の最中ではたしてふたりが作戦どおりに動けるのかはあやしい。

一時間の訓練のあとでライリーが集合をかけると、フレッドがとつぜん、北へむかってあとずさり始めた。ライリーはみんなを南にむかせている。あたしは真意をつかみかねながら、フレッドについていった。百メートル以上離れ、森の入口のトウヒの木陰に隠れたところで、フレッドはようやく立ちどまった。隊を離れたことはまだだれにも見つかっていない。フレッドはライリーをじっと見すえていた。抜けだしたことに気づくかどうかうかがっている……？

ライリーが口をひらいた。

「さあ、出発しよう。おまえたちは強いし、準備もばっちりだ。それに、のどが渇いてるんじゃないか。焼けつくようだろ？　デザートがほしいよな」

ライリーのいうとおりだ。あの大量の血でも、渇きがもどるのは少しも先送りにならなかった。それどころか、いつもよりも早く、強烈に、渇望がよみがえった気がする。ひょっとしたら、〝暴飲〟は逆効果になるのかも。

「黄眼《おうがん》のやつらは南から、獲物をあさってパワーを蓄えながらゆっくりこっちにむかってる」ライリーはいった。「あの人が監視してくれているから、位置は把握してる。彼女とは、むこうで落ちあう予定だ……ディエゴとも」ライリーはあたしのいたあたりにちらっと意味深な視線を投げかけ、一瞬だけ顔をしかめると、それをさっとかき消した。「そうしたら津波のように敵を襲撃する。どうせ楽勝だ。あとで盛大に祝おう」そこでライリーの顔に笑みが浮かんだ。「だれかが一足早くデザートにありつくわけだ。ラウル――袋をよこせ」ライリーは有無をいわさず腕をのばした。ラウルがしぶしぶ、例のシャツの入ったビニール袋を放る。手がかりをひとり占めして、例の人間の娘は自分のものだと主張でもしていたつもりらしい。

「みんな、もう一度確認しておけ。集中しろよ！」

集中するって……その娘に？　戦いに？

みんなの渇きをチェックするかのように、今度はライリーがシャツをかがせてまわる。

反応を見るかぎり、みんな、あたしとおなじようにのどの焼ける感覚がもどっているようだ。顔をしかめ、うなり声をあげている。あたしたちはすべて忘れずに記憶できるんだから、かぎなおす必要はない。だからこれは、ただのチェックだ。娘の香りを思い出しただけで、あたしの口は毒を含んだ唾液でいっぱいになった。

「覚悟はいいか！」ライリーが怒鳴った。

みんなの雄叫びがあがる。

「敵を倒しに行くぞ！」

ふたたび、部隊はバラクーダと化した。ただし、今回は陸上で。

フレッドが動こうとしないので、あたしもあとに残った。こうしているうちにも、貴重な時間はすり減っていく。戦いが始まる前にディエゴを連れて逃げるなら、前方につけていないとダメなのに。あせりながら部隊を見送った。けど、あたしはあのなかでも若いから——足は速い。

「これから二十分くらい、ライリーは俺のことを考えられないはずだ」フレッドが口をひらいた。いままで幾度となくあたしと話してきたみたいな、気楽で親しげな口調だった。

「ずっと時間を計ってた。そうとう遠くまで離れても、あいつは俺のことを思い出そうとしただけで吐き気に襲われる」

「ホントに？　すごいね」

フレッドは笑った。

「練習を重ねてきたからね、効果をたしかめながら。いまでは自分の姿を相手の視界から完全に消せる。だれも俺を見ることができない。俺がそう望めば」

「やっぱり、そういうことか」あたしはふとだまってからきいてみた。「フレッドは……行かないの？」

フレッドは首を横に振った。

「行くわけがない。情報操作されてるのは見ればわかる。ライリーの捨て駒になるのはごめんだよ」

フレッドはたったひとりで、そこまで探りあててたんだ。

「もっと早く出ていくつもりだったが、その前にきみと話したかった。チャンスを待っていたら、いまになってしまって」

「あたしも、話がしたかったの。ライリーの太陽の話は事実とはちがう。年に四日なんて大ウソ。シェリーやスティーヴやほかのみんなも、そのことに気づいたんだと思う。それにね、あいつが話した以外にも、この戦いにはもっと複雑な利害関係が絡《から》んでる。敵はひとつじゃない」あたしは早口でいった。太陽の動きを追い、気が急《せ》いてしかたない。時間は刻一刻すぎていく。ディエゴのところに行かなければ。

「意外でもないな」フレッドは動じずにいった。「俺はやっぱり抜ける。あちこちまわって世界が見たいんだ。ひとりで行くつもりだったが、きみもいっしょにどうかと思って。俺といればまず安全だ。だれも追跡できない」

あたしは一瞬、ためらった。安全という言葉には、いまだからこそ、よけい強く引きつけられる。

「ディエゴを迎えにいかなくちゃ」あたしはかぶりを振った。

フレッドは考えながらうなずいた。

「わかった。きみが信じる相手なら……ディエゴも連れてきたらいい。数が多いと役立つこともありそうだ」

「そうだね」あたしは切実にうなずいた。ディエゴと樹上にふたりきり、黒衣の四人が近づいてきたあのときの心細さときたら……。

あたしの口調に、フレッドは片方の眉をひそめた。

「少なくともあとひとつ、ライリーは大きなウソをついてる」あたしは説明した。「気をつけて。あたしたち、人間にバレたらいけないの。目立ちすぎる集団がいたら、おそろしい吸血鬼が阻止しにくる。あたし見たのよ、ホントにゾッとするようなやつら。目をつけられるようなまねは絶対しないほうがいい。昼間は隠れて、上手に狩りをして」あたしは衝き動かされるように南へ目をむけた。「もう行かなきゃ！」

フレッドは新しい情報について考えをめぐらせている。

「わかった。よければ追いかけてきてくれ。もっと話を聞きたい。一日だけ、バンクーバーで待つ。あの街なら知っているから。臭跡を残しておくよ。場所は……」ちょっと考えてくすっと笑う。「ライリー公園。そこからたどってくれたら会えるようにする。でも二十四時間待ったらどこかに消える」

「ディエゴをつかまえて追いかけるよ」

「ブリー、うまくやれよ」

「ありがと！　フレッドもね。じゃあ、また！」あたしはもう走り始めていた。

「ああ、またな」背中でフレッドの声を聞いた。

あたしは過去最速のスピードで飛ぶようにみんなのにおいを追った。部隊はなぜか途中で休憩したらしく――たぶん、ライリーに喝でも入れられたんだろう――思ったより早く追いつけた。さもなきゃ、ライリーがフレッドのことを思い出して、あたしたちをさがしたのかも。追いついたときには、部隊は一定のペースを守りながら、昨夜同様、かなり整然と走っていた。そこへさりげなくまぎれこもうとしたとき、ちょうどライリーが後続を振り返った。ばっちりあたしと目が合うと、走る速度をあげる。フレッドもいると思ったのかな。ライリーがフレッドの姿を見ることは、もう二度とないけど。

五分もしないうちにすべてが変わった。

ラウルが香りに気づいた。荒々しいうなり声をあげながら飛びだしていく。ライリーにたきつけられ、すっかり熱くなっていた部隊はほんの小さな火花で大暴発を起こした。ラウルの周囲にいたメンバーも全員、においをかぎつけて瞬時に色めきたった。人間の娘を狙えという指令が、ライリーのほかの話をすべてのみこんだ。チームは消滅し、部隊はハンターに姿を変えた。血を賭けたレースが火蓋を切る。

ライリーの話はまやかしだらけだとわかっていても、この香りにはあらがいきれない。前方の連中に続いて、はっきりかいでしまった。つい最近ここにいたらしく、新鮮で強烈だ。とても、とても甘美な香り。血なら昨晩、大量にのんだから力はみなぎっている。でもそれとは関係なく、のどが渇いた。焼けただれそうなほど。

みんなを追って走りながら、熱狂にのまれないようがんばった。でもはやる気持ちを抑え、少しさがって後尾に着くのがやっとだ。いちばん近くにはライリーがいる。彼も……

後退してきた？

　ライリーはほぼおなじことを繰り返し叫んでいた。

「クリスティ、まわりこめ！　脇にそれるんだ！　離れろ！　クリスティ、ジェン！　離れろってば！」二方向からの奇襲作戦は目の前で内部から崩れかけていた。

　ライリーはスピードをあげて大集団に追いつき、サラの肩をつかんだ。左に押しやられたサラが、キッとなって振り返る。

「迂回しろ！」ライリーはそう叫ぶと、今度は最後まで名前がわからなかったあのブロンドの少年を引っつかみ、イヤがるサラに強引に押しつけた。狩りに無我夢中だったクリスティは、ここにきてようやく作戦を遂行しなければならないと思い出したらしい。先を行くラウルをギロリとにらみつけ、金切り声で仲間にゲキを飛ばし始めた。

「こっちだよ！　早く！　あいつらを出し抜いて娘をもらうんだ！　さあ！」

「ぼくはラウルと組んで先鋒《せんぽう》にまわる！」ライリーはクリスティにむかって叫んでから、方向転換した。

　あたしはまっすぐ走りながらも迷っていた。〝先鋒〟なんて遠慮しておきたいけど、クリスティのチームでは早くも内輪もめが始まっている。サラがブロンドの少年にヘッドロックをかけ、首のもげる音が響いた。あたしはそこで腹を決めると、ライリーを追ってダッシュした。サラはスパイダーマンごっこが趣味だったあの少年をここで燃やしていくのだろうか。

前方にライリーの姿をとらえた。距離を保ったまま、ラウルのチームに追いつくまであとを追う。頭のなかの大事なことが、例の香りにかき消されてしまいそうだ。

「ラウル！」ライリーは叫んだ。

ラウルは低くうなりながらも振り返らない。甘い香りに取り憑《つ》かれている。

「ぼくはクリスティの援護に行く！　むこうで会おう！　集中しろよ！」

あたしはわけがわからず、急停止して凍りついた。

ラウルはライリーに返事もせず走り去ってしまった。ライリーはスピードを落として歩き始める。あたしも移動しないと。でも、隠れようとしたら物音で気づかれそう。ライリーは笑顔で振り返り、あたしを見た。

「ブリーか。クリスティについていったかと思った」

あたしは答えなかった。

「あっちのだれかがケガをした音を聞いたんだ。ラウルよりクリスティのほうに助っ人がいるだろ」ライリーは早口で説明した。

「あたしたちを……置いていくつもり？」

作戦変更、とでもいうように、ライリーの顔つきが変わった。目を見ひらいてとつぜん、不安げな表情になる。

「ブリー、ぼくは心配なんだよ。あの人が合流して助けてくれるって話したよな。でも、まだあの人のにおいがしない。なにかまずいことが起こってる。さがしにいかないと」

「でもそんなことしてたら、ラウルは黄眼《おうがん》の連中のところに着いちゃうよ」あたしはずばり核心を突いた。

「状況をたしかめないと」ライリーは本気であせっていった。「あの人が必要なんだ。こんなこと、ぼくひとりでやるなんて！」

「だけど、みんなが……」

「ブリー、ぼくはあの人を見つけてくる！　いますぐに！　これだけ人数がいれば、きみたちだけで黄眼のやつらは潰《つぶ》せる。できるだけ早くもどるよ」

真剣そのものだった。あたしは来た道を振り返ってためらった。フレッドはいまごろ、バンクーバーへの中間地点に差しかかっている。ライリーはフレッドのことをききもしない。フレッドの〝能力〟がまだ効いているのだろうか。

「むこうにはディエゴがいる」ライリーはしきりにいった。「第一陣に加わる手はずだ。さっきにおいに気づかなかった？　きみはそこまで接近しなかったのかな」

あたしは混乱しきった頭を振った。

「ディエゴが来てるの？」

「いまごろもう、ラウルと合流してる。急げばあいつを助けられるよ」

しばらくライリーと対峙し、それからラウルのむかった南を見た。

「いい子だ」ライリーはいった。「ぼくはあの人を見つけてきて、ふたりで後始末を手伝う。もう勝ったも同然だ！　きみが着いたら、戦闘はもう終わってるかもな！」

ライリーは来た道と九十度べつの方角へ突っ走っていく。めざす方向になんの迷いもないその足どりを見て、あたしはつくづくイヤになった。最後まで、ウソばっかり。

とはいえ、ほかに選択肢はなさそうだ。あたしは南へ、ふたたび全速力で走り始めた。ディエゴを連れださないと。引きずってでも離脱する。そしてフレッドを追う。ふたりでどこかに行ってもいい。とにかく、逃げるんだ。ライリーのウソを教えてあげよう。自分で計画した戦いに手を貸そうともしない男だと、ディエゴだってわかるはず。もう力を貸す義理はない。

人間の香りがした。それからラウルの香りも。ディエゴのにおいはまだ感じられなかった。猛スピードで通過してしまった？　それとも、あたしが人間の香りに圧倒されかけているの？　頭の半分は、作戦の足を引っぱる狩りの衝動に支配されていた——部隊はかならず例の娘を見つける。でもそのあと協力して戦うことなどできる？　できっこない。きっと娘を奪い合い、血で血を洗うことになる。

そのとき、前方でうなり声と絶叫と甲高い騒音が炸裂した。戦闘が始まっている。その前にディエゴをつかまえるつもりだったのに間にあわなかった。それでも、あたしはスピードをあげた。まだ、ディエゴを救えるかもしれない。

煙のにおいが風に乗ってきた——吸血鬼を燃やす、まったりとした甘い香り。喧噪《けんそう》がいちだんと大きくなる。そろそろ終結かもしれない。あたしを待っているのは、味方の勝利とディエゴの姿だろうか。

たちこめる煙を駆け抜けると、森が途切れて広い野原が広がっていた。あたしは岩を飛び越え、その瞬間、岩ではなく首のない胴体だったことに気づいた。

空き地をくまなく見まわす。いたるところに吸血鬼の断片が転がり、巨大なたき火から紫の煙が晴れた空に立ちのぼっている。うねる霞《かすみ》のむこうで、キラキラ輝く人影が突進したり組みあったりしているのが見えた。吸血鬼の身体を引き裂く音が、絶え間なく響いている。

あたしがさがしているのはただひとつ。ディエゴの黒い巻き毛。目につく頭はどれもディエゴほど黒くはない。巨漢の男がひとりいて、髪は黒に近いブラウンだけど、いくらなんでも大きすぎる。そいつはケビンの首をもぎとって炎に投げこんだかと思うと、まただれかの背中に飛びかかった。あれはジェン？　ストレートの黒髪もひとりいる。だけど、ディエゴにしては小さすぎる。すばしっこすぎて、少年なのか少女なのかもわからない。

ひどく無防備な気がして、また急いで周囲を見まわした。今度は顔をチェックする。転がっている死体を入れても、数が足りない。クリスティのグループがひとりも見あたらない。すでに、おおぜいの吸血鬼が燃やされたにちがいない。残っているのはほとんど知らない顔だ。金髪の吸血鬼がすばやくこっちを見る。目が合った。相手の瞳は陽光を受けてゴールドに輝く。

あたしたちの負け。もうダメだ。

森へあとずさりながらも、ディエゴをあきらめきれず、スピードが出せなかった。いない。いた気配すらない。ラウルのチームのほぼ全員、そして見知らぬ吸血鬼たちのにおいは充満しているのに、ディエゴは……。もぎとられた手足や首も確認したけど、ディエゴのものはなかった。あれば指一本だって見わけがついたはずだ。

あたしは方向転換して森へむかって本気で走り始めた。やっとわかった——ディエゴがここにいるというのも、ライリーのウソだったんだ。

ここにいないなら、ディエゴは死んでいる。とっくに真実を知っていた気がするくらい、あっさりのみこめた。ディエゴがライリーといっしょに地下室のドアをくぐってこなかったあの瞬間。あのときすでに、ディエゴはこの世にいなかった。

森に一メートルほど入ったところで、ビル解体の鉄球のような衝撃が背中を襲い、あたしは地面にたたきつけられた。だれかの腕が首に巻きつく。

「お願い！」かぼそくうめいた――殺すなら早くして。

首にかけられた腕にためらいが走った。かみつき、爪をたて、ばらばらにしてやれと本能は命じてくる、でも、あたしは逆らわなかった。残っていたわずかな判断力が、抵抗しても無駄と答えを出していた。老いぼれの弱小集団という敵に関する情報も、ライリーのウソだった。最初から勝ち目はなかった。だけど、たとえこの相手ひとりを倒せるとしても、あたしはきっと動けなかっただろう。ディエゴが死んだというまぎれもない事実が、闘志を葬り去ってしまったから。

いきなり、あたしは宙に投げだされた。木に激突し、地面に崩れ落ちる。逃げたほうがいい、でもディエゴはもういない。その衝撃からどうしても立ち直れなかった。

ブロンドの男の吸血鬼はいつでも飛びかかれる体勢で草地のほうから目を光らせてい

た。一点のスキもなく、ライリーよりよっぽど経験もありそう。でも、襲いかかってこない。ラウルやクリスティみたいにギラギラしていない。完璧《かんぺき》に抑えがきいている。

「お願い」さっさと終わらせてほしくて繰り返した。「あたし、戦いたくないの」

体勢はそのままだったけど、男の顔つきが変わった。その表情がなにを意味するのか、わからなかった。のぞいているのは底知れない知性、そしてほかのなにか。共感？　少なくとも、哀れみのような。

「同感だよ」男はおだやかに優しくいった。「われわれは自分たちの身を守っているだけなんだ」

奇妙な黄色の瞳は誠実そのものだった。その目を見ているうちに、なんでライリーなんかの話をひとつでも信じてしまったのか、自分でもわからなくなった。こみあげてきたのは……罪悪感。ここにいる集団はシアトルであたしたちを攻撃するつもりなんてさらさらなかったのでは？　どうしてあんなやつの話を少しでもうのみにしたのよ。

「知らなかった」なんだか恥ずかしくなっていった。「あたしたち、ライリーにウソをつかれてたの。ごめんなさい」

男はだまって聞いていた。気づくと戦場は静まっていた。終わったのだ。

どっちが勝ったのか、少しでも疑問が残っていたのだとしたら、その答えはすぐに出た。ウェーブのかかった褐色の髪の女吸血鬼が、男の隣に急いでやってきた。やっぱり、目は黄色だ。

「カーライル?」女はあたしを見つめ、こまったようにいった。

「この子は戦いたくないそうだ」

女は男の腕に触れた。男はまだ体勢をゆるめていない。

「ねえ、おびえてるわ。なんとか……」

ブロンドの男カーライルは女を見てから、わずかに身体を起こした。でも、まだ警戒している。

「あなたを傷つけたくないわ」女があたしにいった。とてもやわらかく、心がほどけるような声。「あなたたちのだれとも、戦いたくなかった」

「ごめんなさい」あたしはまたぽつりといった。

頭がこんがらがって整理がつかない。なにより大きいのは、ディエゴの死という衝撃的な事実だった。あとは戦闘が終わったこと。味方は負け、敵が勝った。でも、死んだ味方の集団はあたしが燃やされるのを見て嬉々とするような連中ばかりだったのに、敵は優しく言葉をかけてくる。そんな義理はひとつもないのに。それに、この初対面のふたりといるほうが、ラウルやクリスティといるよりはるかにやすらげる。ラウルやクリスティが死んで、あたしはほっとしていた。どういうことなの。

「どうだ」カーライルがいった。「われわれに投降するか？　きみがわれわれに危害を加えないというなら、こちらもそうすると約束しよう」

あたしは彼を信じた。

「わかった」とささやく。「投降する。あたし、だれも傷つけたくない」

カーライルは励ますように腕を差しのべた。

「さあ、おいで。家族が全員もどるまで少し待ってくれ。そのあと、いくつか質問がある。正直に答えてくれるなら、なにもこわがることはない」

あたしは反抗的に見えそうな動きを取らないよう気をつけ、ゆっくりと立ちあがった。

「カーライル？」べつの男の声がした。

黄眼《おうがん》の吸血鬼がまたひとりやって来た。そいつを見たとたん、見知らぬ黄眼の連中にいだいていた安心感のようなものはかき消えた。

カーライルとおなじで髪はブロンドだけど、もっと背が高くてすらりとしている。肌は傷跡だらけで、あごから首にかけてがとくにひどい。今日の乱闘でついたのは、腕にいくつかある新しい傷だけらしい。つまり、こいつはあたしの想像を絶するほどたくさんの戦いに参加し、一度も負けていないってことだ。黄褐色の瞳はらんらんと燃え、いまにも爆発しそうな気迫がみなぎっている。立ち姿はまるで怒れるライオンのようだ。

あたしを見た瞬間、男は飛びかかろうと腰を沈めた。

「ジャスパー！」カーライルが制する。

ジャスパーはぴたりととまり、目をまるくしてカーライルを見た。

「どういうことだ」

「この子は戦いを望んでいない。投降した」

傷跡だらけの吸血鬼は眉をしかめた。とたんに、あたしの胸にいらいらがこみあげた。なにに対するいらだちなのか、さっぱりわからない。

「カーライル……」男はいったん言葉をにごして続けた。「悪いけど、それは無理だ。今回の新生者をひとりでもつれたまま、ヴォルトゥーリを迎えるわけにはいかない。ぼくたちがどんなまずい立場になるか、わからないのか」

話を正確には理解できなかったけど、要点はつかめた。この男はあたしを殺したがっている。

「ジャスパー、この娘はまだ子どもよ」女が反論した。「血も涙もなく殺すなんてできないわ！」

女はまるで、あたしも自分たちも人間であるかのように話した。殺しそのものが悪であり、避けようと思えば避けられることみたいに。

「ぼくらの家族の命がかかっているんだよ、エズミ。掟《おきて》を破ったと思われたらまずい」

エズミという女はあたしと、あたしを殺そうとしている男のあいだに進みでた。そして、なにを考えているのか、あたしに背をむけて立つ。

「ダメよ。そんなこと許しません」

カーライルがあたしに不安げな視線を投げかけた。この女をとても大事に想っているらしい。あたしだって、ディエゴの背後に他人がいたら、おなじような目をするだろう。あたしは気持ちだけでなく、態度も従順に見せるようにした。

「ジャスパー、チャンスに賭けようじゃないか」男はゆっくりいった。「われわれはヴォルトゥーリではない。彼らの掟にはしたがうが命を軽々しくあつかいはしない。とにかく説明してみよう」

「ぼくらが自衛のために新生者を生みだしたと思うかもしれない」

「だが、そんな事実はないんだ。たとえそうでも、ここでは無謀な行動は取られていない。シアトルでだけだ。新生者を世にもたらすこと自体は背反行為ではない。その新しい吸血鬼を制御することさえできれば」

「危険すぎる」

カーライルはジャスパーの肩にそっと触れた。

「この子の命をわれわれが奪ってはいけない」

優しいまなざしの男にジャスパーが厳しい目をむけると、あたしまで急に腹がたってきた。でもジャスパーがこのおだやかな男や、彼が愛している女を傷つけるはずはない。やがて、ジャスパーはため息をついた。もう大丈夫だ。あたしの怒りもみるみるうちに消えた。

「ぼくは賛成できないな」といいながらも、ジャスパーはだいぶ落ち着いたようだ。「せめて、この子のことはまかせてくれ。ふたりとも、長く野放しにされていた吸血鬼のあつかいは知らないだろ」

「もちろんお願いするわ」女がいった。「くれぐれも、優しくね」

ジャスパーはあきれて天をあおいだ。

「みんなのところに行こう。アリスが、あまり時間がないって」

カーライルはうなずき、エズミに手を差しだした。ふたりはジャスパーを残して空き地へむかった。

「おい」ジャスパーはまた険悪な顔つきをしていった。「ついて来い。軽はずみなまねをしようものなら、この手でおまえを始末する」

にらみつけられ、また怒りがこみあげた。頭のかたすみで、威嚇《いかく》して歯をちらつかせてやろうかと思った。でも、こいつが求めているのはまさにそういうきっかけだという気がする。

ジャスパーはなにか思いついたらしく、一瞬、動きをとめてから命令した。

「目を閉じろ」

あたしはためらった。やっぱり殺すことにしたの？

「閉じろ！」

あたしは歯を食いしばり、目をつぶった。いっきにこれまでの倍、心もとなくなる。

「ぼくの声についてこい。絶対に目をあけるな。あけたら最後だぞ。わかったな？」

あたしはうなずいた。なにを見せたくないのか知らないけど、相手が秘密を守ろうとしていることに少しほっとした。すぐ殺すつもりなら、わざわざそんなことはしない。

「こっちだ」

あたしはのろのろと、ジャスパーにきっかけを与えないように気をつけてついていった。ちゃんと道を選んでいるらしい。いちおう、木に衝突しないようにしてくれた。やがて音の響き方が変わり、空き地に出たのがわかった。風のあたり方も変化し、仲間の焼けるにおいもキツくなる。顔に太陽のぬくもりを感じ、まぶたの裏が自分の放つ光で明るくなった。

　ジャスパーはあたしを連れて、パチパチと低い音をたてている炎のほうへどんどん近づいていく。煙が肌をなでるほどそばまで。いつ殺されてもすでにおかしくなかったのに、火をそばにして不安がますますつのった。

「ここに座れ。目は閉じたままだ」

　大地は太陽と炎であたためられていた。あたしはじっと動かず、あたりさわりない態度を通した。けれど、ジャスパーの鋭い監視の目を感じると、いらだちがこみあげた。彼らがほんとうに自分たちの身を守っただけだと信じることはできるし、恨みもない。それなのに、得体の知れない怒りがふつふつとわきあがる。なんだか、自分の感情とは思えない。まるで、終わったばかりの戦闘の残響が、あたしのなかでざわついているみたい。

　それでもバカなまねに走ることはなかった。悲しみに打ちのめされ、心底落ちこんでいたから。ディエゴのことが頭から離れない。どんな死に方をしたのか、考えずにいられなかった。

　手遅れになるまであたしがライリーを信じてしまったのは、あいつがディエゴとあたしふたりだけの秘密を知っていたからだ。といっても、ディエゴが進んで打ちあけるはずはない。ライリーの顔が浮かんできた――いうことをきかないやつは泣きを見る、と脅しをかけたときの冷静沈着な表情。やけにこまかい陰惨な描写――ぼくがあの人の前に連れだし、動きを封じる。あの人が両脚をもぎとる。そしてゆっくり、時間をかけて焼き尽くす。指、耳、唇、舌……よけいな飾りものをひとつひとつ順番に。

やっとわかった。あれはディエゴの死にざまだったんだ。

あの夜、あたしはライリーのなかでなにかが変わったと確信した。ライリーを冷徹に鍛えあげたのは、ディエゴを手にかけた経験だった。ライリーの話で、これだけは真実だと思えるものがひとつあった。あの集団でディエゴを最も高く買っていたこと。好意だっていだいていたはず。それでもあいつは、〈あの女〉にいたぶられるディエゴを見殺しにした。手まで貸した。いっしょになって、ディエゴを殺した。

どれだけの苦痛にさらされたら、あたしはディエゴを裏切るだろう。よっぽどのことでも、耐えるはず。ディエゴがあたしとの関係を話してしまったのなら、少なくともそのくらいの痛みを味わったにちがいない。

吐きそうだ。苦悶《くもん》に泣き叫ぶディエゴの姿を頭から追いだしたいのに、どうしても出ていってくれない。

そのとき、空き地に絶叫が響いた。

まぶたがピクッとしたけれど、ジャスパーに猛然とすごまれ、またきつく目をつぶった。見えたのは、たちこめる薄紫の煙だけ。

怒鳴り声、聞いたこともない獰猛《どうもう》な吠《ほ》え声。数が多く、かなりの大音量だ。どんなふうに顔を歪《ゆが》めたらこんな声が出るのか、想像もつかない。だからよけいにおそろしい。黄眼《おうがん》の吸血鬼はあたしたちとはかけ離れている。それとも、ひとり残ったいまとなっては、あたしとはかけ離れているといったほうがいいのか。ライリーと〈あの女〉も、とっくにどこか遠くへ逃げてしまっただろう。

数人の名前が呼ばれた。ジェイコブ、リア、サム。咆哮《ほうこう》は続いているけれど、話し声も聞き取れた。敵の人数も、ライリーのウソだったわけだ。

咆哮はだんだん減って、やがてひとつだけ残った。獣のような悲痛な鳴き声に、あたしは奥歯をかみしめた。ありあり浮かんでくるディエゴの顔。まるで、彼の悲鳴を聞いているみたい。

カーライルが、ほかの話し声や吠え声にこたえていた。なにか見せてほしいと訴えている。

「お願いだ、わたしに見せてくれ。頼む、力になりたいんだ」反論は聞こえないのに、カーライルはなぜか劣勢に立たされているようだった。

やがて痛々しい絶叫がかすれた高音に転じると、「感謝する」というカーライルの熱っぽい声がした。悲痛な声をぬって、おおぜいの身体がいっせいに動きだす音がした。ずしりずしりと足音が近づいてくる。

さらに耳をすますと、まったく予想外の、ありえない音に気づいた。ライリーの集団では一度も聞いたことのない激しい呼吸、そしてドクンドクンと大きく響くたくさんの音。まるで……心臓の音だ。でも、絶対に人間のものではない。それならよく知っている。鼻をひくつかせても、風は逆方向から吹いていて、煙のにおいしかしなかった。

と、なんの予告もなく、両サイドから頭をがっしりと押さえつけられた。

あたしはギョッとして逃れようと腰を浮かせた。あまりに動揺してあけてしまった目の前の、ほんの五センチ先にジャスパーの鋭い眼光があった。

「やめておけ」ジャスパーに一喝され、あたしは強引に座らされた。かろうじて彼の声が聞こえた。気づけば、ジャスパーの両手があたしの頭をきつくはさみ、左右の耳をぴったりとふさいでいた。

「目を閉じろ」また命令された。声は普通の大きさのはずなのに、小さなささやきにしか聞こえない。

あたしは必死で気を静め、また目をつぶった。今度は、あたしに聞かせたくないことがあるらしい。大丈夫、がまんできる――それで死なずにすむのなら。

一瞬、フレッドの顔がまぶたの裏をかすめた。一日待つ、と彼はいった。約束を守ってくれるのかな。黄眼《おうがん》の一派にまつわる真実を教えてあげたい。知らないことがまだまだありそうだってことも。外に広がるこの世界について、あたしたちはなにも知らずにいた。そんな世界をあちこち放浪するのは楽しそうだ。あたしをすっぽり隠して守ってくれる人がいっしょなら、なおさら。

でも、ディエゴはもういない。ふたりでフレッドと合流することもない。そのせいか未来を思い描いても、胸に刺さったトゲがうずくばかりだった。

まわりのようすは少し聞こえるけど、それも激しいうめき声と数人の声くらいだ。あの脈打つような奇妙な音は小さくなり、正体をさぐろうにもさぐれない。

少しして、ようやく言葉が聞こえてきた。

「きみたちは……」カーライルの声はそこで聞き取れないほど低くなった。「……ってくれ。われわれも力を貸したいのはやまやまだが、ここを離れるわけにいかない」うなり声があがったけど、決して威嚇《いかく》的ではない。悲痛な叫びはすすり泣くような鼻声に変わり、やがてあたしから離れるようにしてかすかに消えていった。

数分間の沈黙のあと、数人の抑えたささやきが聞こえてきた。カーライルとエズミ、そして知らない声。せめて、なにかにおいの手がかりがあれば。目も耳も閉ざされ、あたしは五感の情報がほしくてたまらなかった。でも鼻から入ってくるのは、ゾッとするような甘ったるい煙のにおいだけだ。

高くて澄んだ、聞き取りやすい声が響く。

「あと五分」声の主がいった。若い女だ。「それと、ベラはあと三十七秒で目をあける。まちがいなく、あたしたちの声はもう聞こえてるし」

どういう意味？　ほかにもだれか、目をつぶらされているの？　それとも声の主はあたしの名前をベラだと思っているとか。だれにもまだ名前は教えていない。あたしはにおいを求め、また鼻をひくつかせた。

それからまたぶつぶつ話し声がした。ひとりの声は少し変わっている。鈴のような響きがない。でもジャスパーの両手に耳をきつくふさがれていて、はっきりとはわからない。

「あと三分よ」よく通る高い声がいった。

ジャスパーの両手があたしの頭を離れた。

「そろそろ、目をあけておけ」数歩さがって、ジャスパーがいった。あたしは、その口調にたじろいだ。急いでまわりを見て、ジャスパーの声音にちらついた危険の正体をつかもうとした。

視界は一面、濃い煙幕で覆われていた。厳しい顔つきのジャスパーがそばいる。あごをぐっと引き、あたしを見つめる彼の顔に浮かんでいるのは……恐怖といってよかった。あたしにおびえているのではなく、あたしのせいで危険にさらされている感じ。そういえばさっき、あたしがいるとヴォルトゥーリだかなんだかの手前、立場がまずくなるといっていた。ヴォルトゥーリってなんなの？　不穏な雰囲気を漂わせるこの傷だらけの吸血鬼がおそれる相手なんて、思いもつかない。

ジャスパーの後方では、四人の吸血鬼が間隔をあけて横一列に並び、こちらに背をむけていた。ひとりはエズミ。あとは背の高いブロンドの女、小柄な黒髪の女、そして黒っぽい髪をした見るからにヤバそうな大男――ケビンを殺したやつだ。ふと、ラウルがこいつにつかまったところを想像した。やけに痛快なシーンに思える。

ガタイのいい吸血鬼の奥には、あと三人いる。巨体が邪魔でなにをしているかはわからない。地面にひざまずくカーライル、その隣にダークレッドの髪の男。横たわっている最後のひとりは、ジーンズと小さな茶色いブーツしか見えない。女か、若い男かも。ちぎれた身体をもとにもどしてるのかもしれない。

つまり、黄眼派《おうがん》は八人いたわけだ。それと、さっき咆哮《ほうこう》をあげていた正体不明の吸血鬼も。最低でも、あと八人の声がした。あわせて十六人か、それ以上。ライリーの教えてくれた数の倍を超えている。

ライリーなんて、あの黒衣の連中に追いつめられてメチャクチャにされればいい。あたしは心底そう願った。

横になっていた吸血鬼がゆっくりと立ちあがった。ぎこちなく、まるで不器用な人間みたいに。

風むきが変わり、あたしとジャスパーのいるほうへ煙が押し流された。一瞬、ジャスパー以外にはなにも見えなくなる。それでも目を閉じていたときに比べたらいろいろ見えるはずなのに、不安はなぜか大きくなった。そばにいるジャスパーの発散する恐怖を受信しているかのように。

次の瞬間、微風が逆流してきて、あたしの目と鼻にすべてが飛びこんできた。

反射的に腰を浮かせたあたしを、ジャスパーが激しく威嚇《いかく》して突き倒した。

あの娘だ――ついさっきまで狙っていた人間。全力をかたむけて追い求めていた香り。甘くみずみずしい、初めて知ったといってもいい美味《おい》しそうな血の香り。口に、そしてのどに、火の手があがった。

あたしは死にものぐるいで理性にしがみついた。ここで飛びだそうものなら、あたしを始末するきっかけを待っているジャスパーの思うつぼだ。でもそう考えることができたのは、あたしのほんの一部だった。動くまいとしていると、身体がまっぷたつに裂けてしまいそう。

ベラと呼ばれた人間は、ブラウンの瞳であたしをぼうぜんと見つめている。その姿をまのあたりにしてなおさら苦しくなる。薄い皮膚の下を流れる血が見えた。いくらそらそうとしても、視線はもどっていってしまう。

赤髪の男が娘にそっと話しかけた。

「彼女は投降したんだ。こんなこと、ぼくはこれまで見たことがない。提案しようと思いつくのは、カーライルくらいだろうな。ジャスパーは乗り気じゃない」

どうやらあたしが耳をふさがれているあいだに、カーライルから説明を受けたらしい。そいつは人間の娘を抱きしめていた。彼の胸に両手をあてている娘は、のどの数センチ先に吸血鬼の口があるのにちっともおびえていない。男のほうにも血を狙っている雰囲気はない。人間をペットにする吸血鬼の集団——どんなものかと想像してきたけれど、実物はまるでちがっていた。あの娘が吸血鬼なら、ふたりはパートナーだと思うところだ。

「ジャスパーは大丈夫なの？」人間がささやいた。

「平気だよ。毒がうずくんだ」吸血鬼はいった。

「かまれたの？」娘はショックを受けたような声できいた。

あの娘は何者？ なぜ、ここの連中は彼女を受け入れているの？ どうして殺さないのよ。吸血鬼にかこまれているのに、彼女に恐怖の影はみじんもなく、安心しきって見えるのはなぜ？ こっちの世界の一員みたいに見えるけど、現実は理解できていない。もちろん、ジャスパーはかまれたに決まってる。ついさっき、あたしの仲間と戦い、壊滅させたばかりなんだから。この娘は、あたしたちの正体を知っているの？

ああ、のどが焼けてたまらない！ この炎をあの娘の血で消そうなんて考えたらダメ……わかっているけど、風が彼女のにおいを顔に吹きつける！ 正気を失うまいとしても、もう遅い。獲物の香りをとらえてしまった。もうどうしようもない。

「いっぺんにたくさん相手にしようとするからさ」赤髪の男が人間にいった。「アリスが関わらなくてすむようにしようって」黒髪の小柄な子のほうを見て頭を振る。「アリスにはだれの助けも必要ないのに」

「過保護なんだから、バカね」アリスという名の吸血鬼がジャスパーをにらんで、よく響くソプラノでいった。ジャスパーはあたしの存在をつかのま忘れたみたいに、うっすら笑みを浮かべて彼女のまなざしを受けとめた。

あたしは、そのスキに人間の娘に襲いかかろうとする衝動を抑えるのがやっとだった。

ほんの一瞬で、彼女のあたたかい血が炎を鎮《しず》めてくれる。脈打つ心臓の音が聞こえる。すぐそこに――。

ダークレッドの髪をした吸血鬼が、あたしを牽制《けんせい》するように鋭くにらんだ。その目を見れば、あの娘を襲えば命はないとわかる。でも、このままだとのどが苦しくて、それこそ死んでしまいそう。あたしは痛みをこらえきれず悲鳴をあげた。

ジャスパーに恫喝《どうかつ》され、あたしはひるんで動きをとめた。でも、あの娘の血のにおいが、大きな手のようにあたしを地面から引ったてようとする。狩りのスイッチが入ったあとで獲物をあきらめようとするのは初めてだった。なにかにつかまりたくて両手を地面に食いこませても、そこにはなにもない。ジャスパーが攻撃体勢に移った。死の瀬戸際にいるのはわかったけど、渇望に冒された頭はうまくまわらない。

そのとき、カーライルがやってきてジャスパーの腕に手を置いた。そして優しいおだやかな目であたしを見る。

「気が変わったのかな、お嬢さん。われわれはきみを滅ぼしたくない。だが、きみが自分を律することができないなら、そうするまでだ」

「がまんなんてできっこないでしょ」あたしはすがりついた。この人は平気だっていうの？「あたし、その娘がほしいの」彼女を見つめた。この距離が消えてなくなればいいのに！　指はむなしく、砂利まじりの地面をかきむしる。

「耐えるんだ」カーライルが厳しい声でいった「コントロールする訓練を重ねるんだよ。可能なんだ。いまおまえを救うのは、その道しかない」

　この不思議な吸血鬼たちのように彼女の血の誘惑をしのぐこと。それが生き残るただひとつの道なら、あたしはもう死んだも同然だ。この焼けつく渇きをがまんするなんて無理。どのみち、生き残りたい気持ちはぐらついている。死ぬはイヤだし、苦しむのもイヤ。でも、生きてどうするの。みんな死んでしまった。ディエゴは何日も前に死んでいた。

　ディエゴの名前がのどまで出かかっていた。声に出してささやいてしまいそう。そのかわり両手で頭を引っつかみ、なにかつらくないことを考えようとした。人間の娘でもディエゴでもない、なにか……でも、うまくいかない。

「あの娘から離れたほうがいいんじゃない？」人間があわてたようにささやき、あたしの集中はそこで途切れた。視線は彼女を射抜く。薄い柔肌。首の脈動が見て取れる。

「ここにいないと」人間の娘にしがみつかれている吸血鬼が答えた。「彼らはいま空き地の北端にむかってる」

　彼ら？　北を見てみたけれど、煙しか見えない。ライリーと〈あの女〉のこと？　新たな戦慄《せんりつ》に続いて、小さな希望が芽生えるのを感じた。あたしたちの部隊を皆殺しにしたこの吸血鬼たちに、ライリーと〈あの女〉が太刀打ちできるはずはない。咆哮《ほうこう》をあげていたやつらはいなくなったけれど、ジャスパーひとりでもあのふたりをやっつけられそうだ。

それとも、彼らというのは謎だったヴォルトゥーリのこと？

娘の香りを乗せた風がまた顔をくすぐり、まっすぐにものが考えられなくなる。あたしは飢えた目で娘をとらえた。

あたしの視線を受けとめ、彼女は思いがけない表情を浮かべた。あたしが唇を歪《ゆが》めて歯をむき、いまにも飛びかかりそうな身体をぶるぶると抑えこんでいるのに、こわがるそぶりもない。魅入られたように見つめてくる。話しかけたがっているような――なにか、ききたいことでもあるような顔つきで。

カーライルとジャスパーは火葬の炎とあたしから離れ、ほかの連中と人間の娘に近づいていった。みんな、あたしの奥の煙幕を見つめている。つまり恐怖の対象には、あたしのほうが近いということだ。あたしは炎にもひるまず煙のほうへにじり寄った。逃げたほうがいい？　いまならまだそのスキが？　どこへ行こう。フレッドのところ？　それともひとりきりでどこかへ？　ライリーを見つけてディエゴの復讐をしようか……。

最後の思いつきに引きこまれてためらううちに、時機を逃してしまった。北でなにか動く音が聞こえ、あたしは黄眼《おうがん》の一派と迫りくる何者かにはさまれたことを知った。

「なるほどね」煙霧のむこうから、冷淡な声が聞こえた。

たったひとことで、その正体がわかった。おそるべき衝撃に身体が凍りついていなければ、逃げだしているところだ。

黒衣の連中だ。

どういうこと？　また新しい戦いが？　黒衣の吸血鬼たちはあたしを生みだした〈あの女〉がこの黄眼の一派を滅ぼすことを望んでいた。〈あの女〉は失敗した。ということは、黒衣の一派は〈あの女〉を殺すの？　それとも、カーライルやエズミや、ここにいる連中を殺す？　あたしが選んでいいなら、葬りたい相手は決まっている。それは、あたしを拘束した人たちじゃない。

黒衣の影は霞《かすみ》のなかから音もなくあらわれ、黄眼の一派とむきあった。だれもあたしには目もくれない。あたしはじっとして気配を殺そうとした。

人数はこの前とおなじで四人だけ。でも、黄眼派が七人いようが関係ない。ライリーや〈あの女〉同様、彼らも黒衣の者たちを警戒している。黒衣の連中には目に見えない力がある。あたしはそれをたしかに感じた。彼らは処刑者だ。狙った獲物は逃さない。

「ようこそ、ジェーン」人間の娘を抱いた黄眼《おうがん》の男がいった。

どうやら知り合いらしい。でも、赤髪の男の口調に親しみはなかった。ライリーのようにめめしく媚《こ》びるわけでも、〈あの女〉のように戦々恐々《せんせんきょうきょう》としているわけでもない。冷たく、丁重で、動じない態度。ということは、この黒衣の連中がヴォルトゥーリ？

黒衣の一派を率いる小柄な吸血鬼が――これがジェーンだ――黄眼の七人と人間の娘をなめるように見まわし、最後にあたしのほうをむいた。顔を見るのは初めてだ。あたしよりおさなく、でもたぶん、ずっと年上。黒紅のバラを思わせる、ベルベットのような瞳。もう隠れることはできない。あたしは頭をかかえてうなだれた。盾つく気はないと態度で示せば、ジェーンもカーライルのように見逃してくれるかもしれない。望みは薄いとわかってはいるけれど。

「なにごとかしら」ジェーンの氷のような声がいらだちでかすかに歪《ゆが》んだ。

「投降したんだ」赤髪の男が説明した。

「投降した……？」ジェーンの語気が鋭くなる。

こっそり目をあげると、黒衣の連中はちらちら視線を交わしていた。赤髪の男はさっき、投降した例は見たことがないといった。黒衣のやつらもそうなのだろうか。

「カーライルがその選択肢を与えた」赤髪の男がいう。一族のリーダーはカーライルだと思ったけど、こいつが一族を代表して話しているらしい。

「掟《おきて》を破った者に選択肢はないのよ」ジェーンは冷酷さを取りもどした。

あたしは骨の髄《ずい》まで凍りついていた。でも激しい動揺は消えた。もう、逃れられそうにない。

カーライルが静かにいった。

「それはきみにまかせる。わたしたちへの攻撃をやめるなら、滅ぼすことはないと考えたまでだ。この娘は掟を教えられていなかったから」

中立的ないい方だけど、あたしをかばっているようにも聞こえた。とはいえ、本人もいったとおり、あたしの運命を決めるのは彼ではない。

「それは関係ないでしょ」ジェーンもそういった。

「望みのままに」

カーライルを見つめるジェーンの顔には、とまどいと焦燥《しょうそう》がにじんでいた。でも首を振ると、その表情も消える。

「わたしたちが西へむかっていくうちにいずれあなたに会えればと、アロは願っていたのよ、カーライル。よろしくとのことでした」

「こちらからもよろしくと伝えてもらえるとありがたい」

ジェーンはほほえんだ。

「そうするわ」そこでまたあたしを見る。口のはしにほんのり笑みが残っていた。「今日はわたしたちにかわって仕事を片づけてくださったのね……だいたいのところは。職務上、きいておきたいの。相手は何人だったのかしら。シアトルにはかなりの爪痕《つめあと》を残したようだけれど」

仕事、職務。ジェーンはそういった。やはり、制裁を加えるのが務めなんだ。そして罰をくだす者がいるなら、かならず掟《おきて》が存在する。彼らの掟にしたがう、とカーライルもいった。制御できるのであれば、吸血鬼を生みだすこと自体は背反行為ではないとも。ライリーと〈あの女〉は黒衣のヴォルトゥーリをおそれてはいたけど、その来訪にはそれほど驚いていなかった。つまり掟の存在も、自分たちがそれを破っていることも知っていたんだ。どうして教えてくれなかったの？　おまけにヴォルトゥーリはこの四人だけではないらしい。アロという名の人物、ほかにもたぶんおおぜい。ここまでおそれられているなら、かなりの数がいるにちがいない。

カーライルがジェーンの問いに答えた。

「十八人だ……この娘を入れて」

黒衣の四人のあいだで、ほとんど聞こえないくらいの小声のやりとりがあった。

「十八人……?」繰り返したジェーンの声には驚きが見え隠れしていた。ジェーンの驚きは本物なの、〈あの女〉は部隊に何人いるのかジェーンに告げなかった。それとも演技?

「全員、転生したばかりで」カーライルはいった。「未熟だった」

未熟で、ものを知らなかった――ライリーのせいで。この年長の吸血鬼たちがあたしたちをどう見ていたのかわかってきた。新生者、とジャスパーはあたしを呼んだ。赤ん坊のようなものだ。

「全員ですって?」ジェーンがかみつくようにいった。「なら、創造者はどうしたの?」とぼけたふりをして。このジェーンって女はライリーよりよっぽど大胆で狡猾《こうかつ》な大ウソつきだ。

「ヴィクトリアという女だった」赤髪の男が答えた。

あたしだって知らない名前をなんでこいつが? そういえばライリーはこの集団に〝マインドリーダー〟がいるといっていた。彼らがなんでも知っているのはそのせい? それとも、あれもライリーのウソ?

「だった……とは?」ジェーンが問いかける。

あっちだ、というように赤髪の男は東へ頭をかたむけた。見あげると、山腹からもうもうと青紫の煙が立ちのぼっていた。

だった……。あのガタイのいい吸血鬼がラウルをズタズタにするところを想像したときとよく似た爽快感が、胸にこみあげてきた。といっても比べものにならないくらい、いい気味。

「そのヴィクトリアは」ジェーンがゆっくりと口をひらいた。「ここの十八人とはまたべつということ?」

「そうだ。ヴィクトリアはひとりだけ青年を連れていた。この娘ほど若くはないが、一歳もちがわないだろう」

ライリーだ。あたしの歓びはいっきに膨れあがった。今日、たとえ死ぬことになっても──ううん、死ぬのはもう時間の問題だけど──少なくともこの点で思い残すことはない。ディエゴの復讐は果たされた。あやうく、口もとがゆるみそうになった。

「二十人ということね」ジェーンはため息まじりにいった。思ったより多かったらしい。でなければ、そうとうな名演技だ。「その創造者はだれが相手をしたの?」

「ぼくだ」赤髪の男がそっけなく答えた。

こいつはあたしの友だちだ。何者だろうと、人間をペットにしていようといまいと。たとえ最後にあたしにとどめを刺す相手だとしても、感謝の気持ちは永遠に忘れない。

ジェーンは振りむき、目をすっと細めてあたしを見た。

「そこのおまえ」とげとげしい声だ。「名前は」

この女のなかでは、あたしの死はもう決まったもおなじ。ならどうして、この大ウソつきにひとつだって望みのものをくれてやる？　あたしはだまってにらみ返した。


ジェーンは汚れを知らない子どものような天真爛漫《らんまん》な笑みをむけてきた。そのとたん、あたしは炎に巻かれた。人生最悪のあの夜に逆もどりしたみたい。あらゆる血管の先まで、肌のすみずみまで、ひとつひとつの骨の髄《ずい》まで、身体じゅうが焼けただれていく。部隊を弔《とむら》う火に放りこまれたかのように、全身を炎がつつんだ。すべての細胞が想像を絶する苦痛に燃えあがる。耳にも激痛が走り、自分の悲鳴もろくに聞こえない。

「名前は」ジェーンがもう一度いうと、火は消えた。妄想だったのかと思うほど、きれいさっぱり。

「ブリー」あたしは即答した。痛みはあとかたもないのに、あえぎながら。

ジェーンがまた笑うと、ふたたび全身に火がついた。あとどれだけ苦しめば死ねるの。

聞こえる悲鳴は、もはや自分のものとは思えない。だれでもいいからこの首をへし折って。心優しいカーライルならやってくれるはず。マインドリーダーがいるなら、お願い。心を読めるなら、どうか終わりにして。

「彼女はきみが望むことはなんでも話すつもりだ」赤髪の男がしぼりだすようにいった。

「そんな仕打ちは必要ない」

ジェーンがスイッチを切ったように、痛みはまた去った。気づくと、あたしは地面に顔をすりつけ、人間のようにぜいぜい息を荒らげていた。

「そうよね、わかってる」ジェーンは愉快そうにいった。「ブリー」

名前を呼ばれたとたん震えが走ったけれど、痛みは襲ってこなかった。

「彼の話はほんとうなの?」ジェーンがきく。「仲間は二十人いたって」

言葉が口をついて出た。

「十九人か二十人……もっといたかも。あたしは知らない！　サラともうひとり、名前を知らないやつが途中で内輪もめしたから」

たいした中身もない回答に激痛の罰がくだるかと思った。でもジェーンは先を続けた。

「で、おまえを生みだしたのはそのヴィクトリア……とやらなのね?」

「知らない」こわごわ答えた。「ライリーは絶対に名前を出さなかった。あの晩は見えなかったし……あまりに暗くて、痛くて」思わずビクッとする。「ライリーは、あたしたちに彼女のことを考えさせないようにしてた。あたしたちの意識は守られていないとかいって……」

ジェーンの視線は赤髪の男をちらりととらえ、一瞬でもどってきた。

「ライリーのことを教えて」ジェーンがいった。「どうして、おまえをここに連れてきたの？」

あたしはライリーのウソをできるかぎり矢継ぎ早に再現した。

「ライリーはいったの。ここにいる奇妙な黄眼《おうがん》のやつらを滅ぼすんだって。楽勝だっていってた。シアトルはこいつらのなわばりだから、あたしたちを始末しにくる。こいつらがいなくなれば、あたしたちで血をひとり占めできるって。それで、ライリーはその娘のにおいをあたしたちに覚えさせた」そこで人間のほうを指さす。「標的の集団かどうかは、彼女がいっしょにいるはずだからそれでわかる。最初に見つけたやつが彼女をものにしていいって」

「楽勝……というのは、ライリーのまちがいだったようね」からかうような口調でジェーンがいった。

あたしの告白はジェーンを満足させたようだ。ふと気づいた。ジェーンが納得したのは、自分が〈あの女〉――ヴィクトリアを訪ねたことを、あたしやみんなが知らされていなかったから。自分や黒衣のヴォルトゥーリが出てこない話を、黄眼《おうがん》の一派に聞かせたかったからだ。お望みどおり、調子を合わせよう。マインドリーダーには、真相が伝わっていればいいけど。

この悪魔のような少女に正面から報復するのは無理だ。でも、黄眼の者たちに知っていることを洗いざらい教えることはできる。そう願った。

あたしはジェーンの軽口にうなずき、身体を起こした。どいつかわからないけど、マインドリーダーの注意を引くために。あたしはそのまま、仲間のだれが話してもおかしくない程度の話を続けた。ケビンになりきる。頭に石ころが詰まっているみたいな、なにも知らない大バカ者に。

「あたしはなにがあったのか知らないの」ウソじゃない。戦いの場の混乱はいまだに謎だった。クリスティのグループをひとりも見なかった。咆哮《ほうこう》をあげる謎の吸血鬼に倒されたの？　彼らのことは、黄眼の一派のためにも秘密にしておこう。「二手にわかれたんだけど、もういっぽうの連中とはそれっきり。ライリーはあたしたちから離れて、約束したのに助けにこなかった。それから、なにかわけがわからなくなって、みんなばらばらにされてて」首なしの身体を飛び越えたことを思い出し、ゾッとした。「あたし、こわくて。逃げたくて。そいつが……」カーライルのほうをあごで指す。「抵抗をやめれば、痛い目にあわせないって」

このくらい話しても、カーライルを裏切ることにはならない。さっき本人がジェーンにいったことだ。

「あら。でも、条件を差しだせるのは彼ではないのよ。お嬢さん」ジェーンがいった。やけに楽しそうだ。「掟《おきて》を破ったら、ただではすまないの」

あたしはケビンになったふりを続けた。アタマが悪くて理解できないかのように、ぽかんと彼女を見つめる。

ジェーンはカーライルを見た。

「全員をしとめたのはたしかなのね。二手にわかれたという残りの半分も？」

カーライルはうなずいた。

「われわれも二手にわかれたのでね」

思ったとおり、あの吠《ほ》える連中がクリスティをやっつけたんだ。どんなやつらかは知らないけど、ものすごく狂暴だといいのに。クリスティはそのくらいの目にあうべきだ。

「くやしいけれど、お見事ね」ジェーンがいった。その真剣な口調からすると、たぶん本音だろう。ジェーンはヴィクトリアの部隊が彼らになんらかのダメージを与えることを期待したけど、それはあきらかに失敗に終わった。

「ああ」ジェーンのうしろに控える三人も、小声で賛同した。

「これほどの攻撃を無傷で乗りきった集団は見たことがないもの」ジェーンは語り続けた。「動機はなんだったか、つかんでいるの？　かなり極端な行動ではないかしら。ここでのあなたがたの暮らしぶりを思うと。それにどうして、その娘がカギを握っていたの？」その目がほんの一瞬、人間にむけられた。

「ヴィクトリアはベラを恨んでいたんだ」赤髪の男が答えた。

これであの作戦が読めた。ライリーはあたしたちを何人失おうが、あの娘さえ死ねばそれでよかったんだ。

ジェーンは嬉しそうに笑い、「この子は」といって、さっきあたしを見たときのように、にっこりほほえみかけた。「わたしたちの種族にとって、不思議なほど強烈な触媒《しょくばい》になるようね」

人間の娘にはなにも起こらなかった。ジェーンに痛めつけるつもりがないのか。それとも、あのすさまじい〝能力〟は吸血鬼だけに通用するのか。

「それはやめてもらえないか」赤髪の男が怒りを押し殺していった。

ジェーンがまた笑った。

「ちょっと試しただけ。べつに問題ないでしょ。見るからに」

あたしはケビンみたいなアホ面を引っさげたまま、興味をひた隠しにした。ということは、ジェーンはあたしとおなじようには彼女を痛めつけることができず、それはジェーンにとって例外的なことなんだ。笑い飛ばしていたけれど、内心かなり頭にきているのがわかる。黄眼《おうがん》の一族があの娘を仲間にしているのは、そのため？　でもなにか特別なところがあるなら、なぜさっさと転生させないんだろう。

「まあ、わたしたちの仕事はたいして残っていないようね」ジェーンは感情のない冷たい声にもどった。「妙な感じだわ。用なしにされるのは慣れていないのよ。戦いを逃したのはほんとうに残念。聞いたところでは、おもしろい見ものだったようだし」

「そうだな」赤髪の男が鋭く切り返した。「あと少しだったのにな。ほんの三十分遅れをとったのはなんとも惜しい。間にあっていたら、務めもはたせただろうに」

あたしはほくそ笑みそうになるのをがまんした。そうか、あの赤髪の男がマインドリーダーなんだ。あたしの渡したかった情報はすべて聞き取ってくれた。ジェーンに一矢《いっし》報いてやった。

ジェーンは無表情にマインドリーダーを見返した。

「そうね。こんなことになるなんてホントにがっかりだわ。そうじゃない？」

マインドリーダーはうなずいた。ジェーンの脳裏に浮かんだなにかを読み取ったのだろうか。

ジェーンは能面のような顔をあたしにむけた。瞳にはなにも映っていないけれど、どうやら時間切れらしい。あたしはもう用済みだ。でもジェーンは知らない。あたしがマインドリーダーにありったけの情報を伝えたことも、彼の仲間の秘密を明かさなかったことも。せめてもの感謝のしるしだ。あたしにかわって、ライリーとヴィクトリアを制裁してくれたんだから。

あたしは横目で彼を見て心のなかでいった――ありがとう。

「フェリクス……？」ジェーンが物憂げにいった。

「待てよ」マインドリーダーが大きな声をあげた。そしてカーライルのほうをむいて早口で訴える。

「その娘にはぼくたちが掟《おきて》を説明する。本人だって学ぶつもりがないわけでもなさそうだし、自分でも知らずにやったことだ」

「そのとおりだ」カーライルがジェーンを見て熱心にいった。「わたしたちには責任をもってブリーを引き受ける用意がある」

ジェーンはふざけているつもりなの、といった顔をした。ジョークだったとしたら、キツすぎてジェーンには通用しなかったらしい。

あたしは胸がいっぱいになった。出会ったばかりのあたしのために、危険を冒して救いの手を差しのべてくれるなんて。望みがないのはわかっているとはいえ、それでも。

「わたしたちは例外を認めない」ジェーンは小気味よさそうにいった。「それに二度目のチャンスも与えない。評判に傷がつくから」

ほかのだれかの話をしている気がしてきた。話題があたしの処刑だとしても、もうどうでもいい。黄眼《おうがん》の一派も、ジェーンをとめることはできない。吸血鬼界の警察だもの。たとえそれが腐敗した警察で——とことん汚いやつらでも。だけど、いまでは黄眼の連中が真相を知っている。

「そう、それで思い出したわ……」ジェーンは話を続けた。人間の娘に視線を移し、にっこり笑って。「ベラ。カイウスはとても興味をもつでしょうね、あなたがまだ人間だという知らせに。自分の目でたしかめようとするかも」

まだ人間……。ということはあの娘はいずれ転生するんだ。いったい、なんのきっかけを待っているの？

「予定はもう決まってるの」黒髪のショートヘアの吸血鬼が、よく通る声でいった。「数カ月のうちに、こちらから訪ねていくかも」

ジェーンのほほえみはぬぐい去られた。返事をした黒髪の吸血鬼のことは完全に無視して肩をすくめる。その態度を見ると、ジェーンはあの人間の娘の十倍くらいこの小柄な吸血鬼が気に食わないらしい。

カーライルにむきなおったジェーンの顔はさっきとおなじく、なんの感情も宿していなかった。

「お目にかかれてよかったわ、カーライル。アロは話を誇張しているんだと思っていたけれど、ちがったようね。では、また会うときまで……」

これまでだ。恐怖はまだ感じない。たったひとつ心残りなのは、フレッドにこのすべてを教えてあげられないこと。危険な駆け引き、腐敗した警察、秘密の集団。そんなものがあふれているこの世界に、フレッドは予備知識ゼロで飛びこもうとしている。でもかしこくて用心深くて〝能力〟のある人だもの、きっと大丈夫。あいつらだって、目に映らない相手になにができる？　もしかしたらいつか、黄眼《おうがん》の者たちがフレッドに出会うかもしれない。あたしはマインドリーダーにそっと頼んだ――どうか、そのときはよくしてあげてね。

「フェリクス、そいつを始末して」ジェーンはあたしをあごで指し、つまらなそうにいった。「わたし、うちに帰りたいの」

「見るな」赤髪のマインドリーダーがささやく。
あたしは目を閉じた。

訳者あとがき

新生者――原文のなかで〝ニューボーン〟と呼ばれる転生したばかりの吸血鬼は、血への欲望に支配され、凶暴で、コントロールがきかない。『トワイライト』シリーズの外伝にあたる本書の主人公ブリー・タナーもそのひとりだ。

父親の暴力から逃れて家出生活を送っていたブリーは十五歳のある日、謎の女吸血鬼によって転生させられ、新生者集団とのサバイバルゲームのような日常に放りこまれた。昼は太陽を避けて地下室にこもり、夜は血を求めてシアトルの街で人間を狩る。激しい渇望と超人的なパワーをもてあまし、仲間であるはずのメンバーを手にかけては火を放って葬り去る――。

そんな過酷な状況のなかでブリーはひとり息をひそめ、気配を消して生きぬいていた。

そこへ思いがけない運命の出会いが訪れるが、それもつかのま〈あの女〉の計画がついに始動することになって……。

ブリーの物語では、『トワイライトⅢ』（原題*Eclipse*）の軸でもあるシアトルの新生者部隊との戦いがべつの視点から描かれていく。本編シリーズの主人公であるベラ・スワンが出会ったエドワード・カレンとその家族は、人間を狩ることはないし、ゆるぎない信頼と愛で結ばれている。だがヴォルトゥーリ一族が闇の掟をつかさどる吸血鬼の世界でそれがどれほど特殊なことか、ブリーと新生者たちの殺伐とした生きざまを数日間のぞいただけでもよくわかる。

ベラやカレン家の面々をはじめとしておもな登場人物が勢ぞろいするラストでは、それぞれの言葉から表情、思惑までがこまやかに本編『トワイライトⅢ』と結びつき、表裏一体となったひとつの場面がいちだんと奥行きを増して浮かびあがる。なかでもマインドリーダーのエドワードを中心に、ヴォルトゥーリ最強の異能者ジェーンとブリーが繰り広げる駆け引きは、『トワイライトⅣ最終章』にもつながるシリーズの重要なポイントだ。ブリーの胸の内が明らかになるにつれ、ぜいたくな望みとはわかっていても、この場面だけでいいからエドワードやジェーンの視点からのストーリーも読むことができたら、と思ってしまう。

ブリーは荒みきった閉鎖的な世界から逃げだしたいと願い、望みもしない戦いにひきずりこまれ、ラストにかけて初めて知る未知の可能性と無情な現実を同時に突きつけられる。そこで彼女が見せるかすかな希望とあきらめ、覚悟、ささやかな抵抗には、孤独のなかで懸命にタフに生きてきた少女の短い人生が映しだされているようで胸が締めつけられる。『トワイライトⅢ』でブリーにもう少しちがう未来を与えておけば、と著者ステファニー・メイヤーが悔やんだというのも納得だ。

ちなみに二〇一〇年公開の映画『エクリプス／トワイライト・サーガ』にはシアトルの新生者部隊も登場する。ブリーを演じるジョデル・フェルランドは二歳でCMデビューを飾り、十歳でテリー・ギリアム監督の『ローズ・イン・タイドランド』の主演を務めた。ベラを演じるクリステン・スチュワート、ジェーン役のダコタ・ファニングに続いて、子役時代に実力派として定評のあった〝若手のベテラン〟が起用された形となる。

最後に、本書の翻訳出版にあたって大変お世話になったヴィレッジブックスの三上冴子さん、リテラルリンクみなさま、翻訳協力の久米真麻子さん、デザイナーの鈴木成一氏とアルビレオのみなさまにこの場を借りて心から感謝する。

二〇一〇年一〇月

トワイライト　哀《かな》しき新生者《しんせいしゃ》

著者	ステファニー・メイヤー
訳者	小原亜美《おばらあみ》
	2010年10月30日　初版第1刷発行 2011年 2 月16日　　第4刷発行
発行人	鈴木徹也
発行所	株式会社ヴィレッジブックス 〒108-0072 東京都港区白金2-7-16 電話 03-6408-2325(営業) 03-6408-2323(編集) http://www.villagebooks.co.jp
印刷所	中央精版印刷株式会社
ブックデザイン	鈴木成一デザイン室＋草苅睦子(albireo)

©2010 villagebooks inc. ISBN978-4-86332-281-3 Printed in Japan

ヴィレッジブックス好評既刊

「アニタ・ブレイク・シリーズ1 十字の刻印を持つふたり」
ローレル・K・ハミルトン　小田麻紀[訳]　903円(税込) ISBN978-4-86332-817-4
アニタ・ブレイク――死者を甦らせる蘇生師にして、悪いヴァンパイアを狩る処刑人。しかしヴァンパイア連続殺人事件の捜査に乗り出したことから、宿命の出会いが…。

「アニタ・ブレイク・シリーズ2 亡者のサーカス」
ローレル・K・ハミルトン　小田麻紀[訳]　987円(税込) ISBN978-4-86332-864-8
その妖艶たるヴァンパイアが操るは、死者と人狼と、美しき狩人の心……。世界で一番長く愛されているヴァンパイア・シリーズ、待望の第2弾!

「アニタ・ブレイク・シリーズ3 異形の求愛者」
ローレル・K・ハミルトン　小田麻紀[訳]　998円(税込) ISBN978-4-86332-021-5
人狼リチャードと恋仲になったアニタ。だが、新たな危険がアニタにふりかかるうえに、マスター・ヴァンパイアのジャン=クロードが燃やす嫉妬の炎までがふたりを襲う!

「アニタ・ブレイク・シリーズ4 幽霊たちが舞う丘」
ローレル・K・ハミルトン　小田麻紀[訳]　1029円(税込) ISBN978-4-86332-143-4
アニタを指名した困難な仕事の依頼があった。それは何百年も前の古い墓地の死者をいっぺんによみがえらせるという難題だった。だが、この仕事には思わぬ罠が……。

「妖精王女メリー・ジェントリー1 輝ける王女の帰還　上・下」
ローレル・K・ハミルトン　阿尾正子[訳]　〈上〉882円(税込)〈下〉819円(税込)
〈上〉ISBN978-4-86332-087-1〈下〉ISBN978-4-86332-088-8
超自然的な事件を解決するその女性探偵の正体は、妖精界から逃れてきた誇り高き王族だった! 美しき創造物たちと人間が繰り広げる魅惑的なシリーズ、待望の第1弾。
